Michael
Freeman

101
trucs et astuces pour la photo numérique

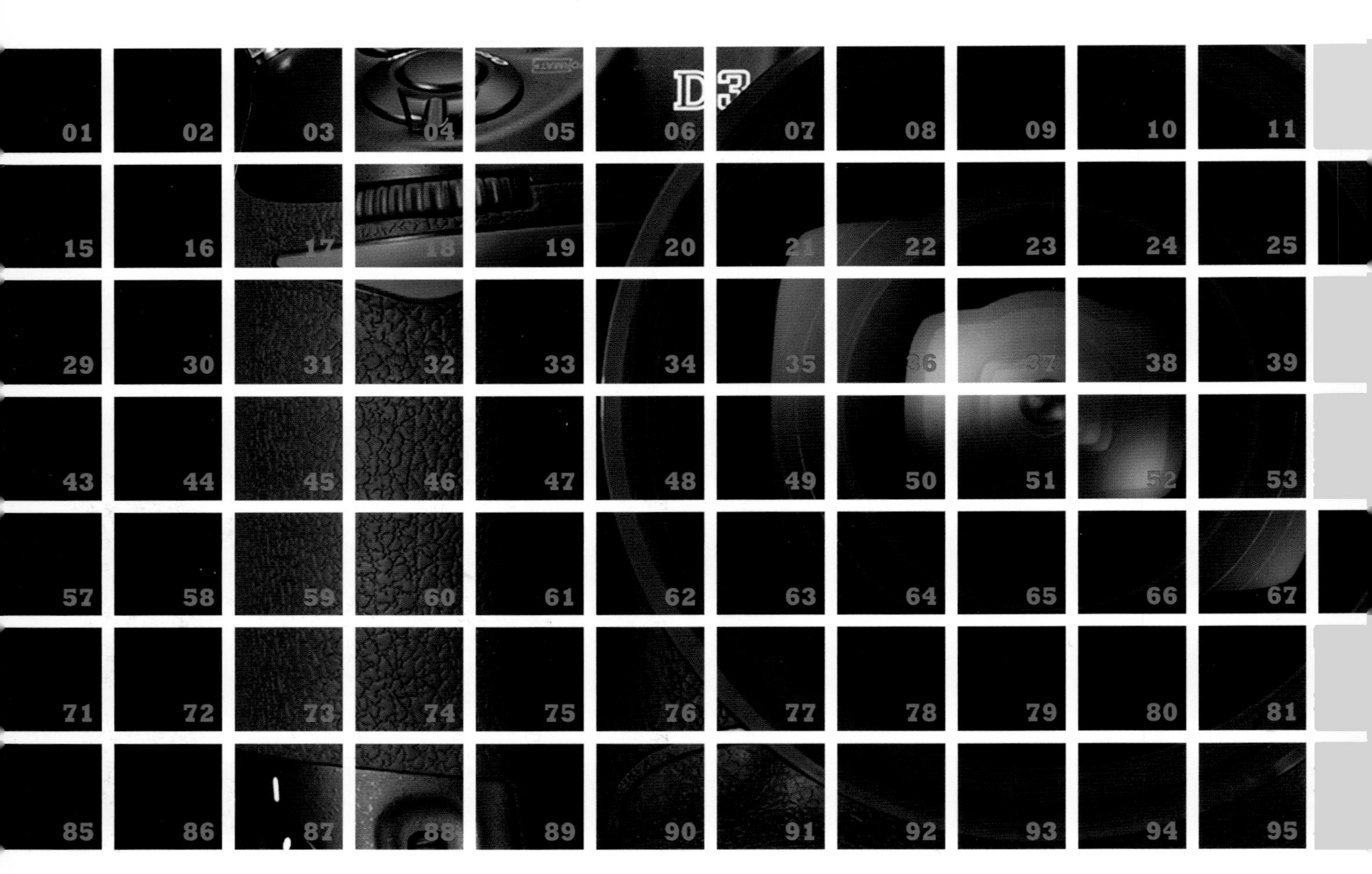
01 02 03 04 05 06 07 08 09 10 11
D3
15 16 17 18 19 20 21 22 23 24 25
29 30 31 32 33 34 35 36 37 38 39
43 44 45 46 47 48 49 50 51 52 53
57 58 59 60 61 62 63 64 65 66 67
71 72 73 74 75 76 77 78 79 80 81
85 86 87 88 89 90 91 92 93 94 95

Michael
Freeman

trucs et astuces pour la photo numérique

First published in the United Kingdom in 2008 by

ILEX

ISBN : 978-1-60059-418-2

Édition française, France, 2008

Publié par Pearson Education France
47 bis, rue des Vinaigriers
75010 Paris

ISBN : 978-2-7440-9230-5

Traduction : Paul Durand-Degranges
Composition : Edito.biz

101 Trucs et astuces pour la photo numérique

Sommaire

Chapitre 1_Bases

Chapitre 2_Exposition

Chapitre 3_Couleur

Chapitre 4_Techniques

Chapitre 5_Composition

Chapitre 6_Assemblage

Chapitre 7_Prises multiples

Chapitre 8_Lumière faible

Chapitre 9_Traitement

Introduction

Au regard de toutes les inventions techniques qui enrichissent les boîtiers, les objectifs et les logiciels de traitement de l'image, on pourrait penser que l'acte de photographier devient de plus en plus complexe.

Les prise de vue en numérique semblent accompagnées d'un cortèges de maux, d'une pléthore d'informations, de données ou de caractéristiques techniques. Le photographe est-il désormais condamné à s'embourber dans un marécage de menus, de boutons ou de clics de souris exaspérants ?

Je prétendrai pas qu'il vous faut ignorer ces progrès ou que vous pouvez mésestimer les exigences liées à la prise de vue. Je peux par contre réduire significativement cette surcharge d'informations qui vous entrave. Ici, de façon claire, simple et directe, je vais vous faire partager mes 101 astuces de prédilection pour la photo numérique.

Lisez, intégrez pour ensuite mieux oublier. Car au final, la photographie est un acte qui vous unit, vous, l'appareil et le sujet que vous photographiez.

Chapitre_ 01

Bases

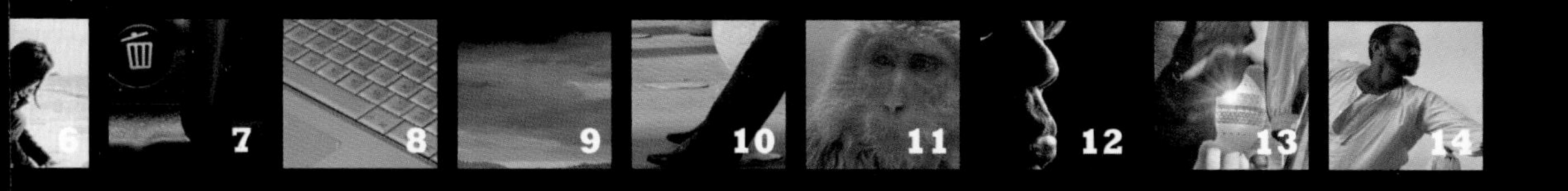

01

Visez, appuyez

C'est un conseil un peu simple, non ? Pas tout à fait ! J'ai vu un grand nombre de photos perdues à cause d'un manque de réactivité. Et, c'est triste à dire, certaines d'entre elles étaient les miennes. Le scénario le plus simple, et que vous pouvez rencontrer tous les jours, est le suivant : quelqu'un dit à ses amis, « C'est intéressant, prenons une photo. » Ils sont tous d'accord, s'installent, sourient et attendent.

Ils attendent que le photographe termine son bricolage ou se décide à appuyer sur le déclencheur. Dans la plupart des cas, pourtant, c'est la seule opération nécessaire.

Et là, il s'agit d'une simple photo de famille. Dans la rue, lors d'un reportage, le timing et les conditions sont moins accommodants. Vous hésitez et vous ratez la prise. Tous les aspects techniques doivent être corrects (exposition, mise au point, balance des blancs, vitesse d'obturation), plus encore, la composition peut être affinée, les superpositions retravaillées et les expressions améliorées en quelques secondes.

Quoi qu'il en soit, le temps permet de faire ou de défaire une photo et il existe une solution pour éviter les ralentissements. Vous avez besoin de vérifier l'exposition ? Désolé de vous le dire, mais vous devriez déjà l'avoir vérifiée ou avoir choisi un réglage correct par défaut, par exemple Auto. En utilisant le format Raw, vous avez plus de latitudes pour travailler l'image.

Vous pensez gagner du temps en passant quelques secondes à régler l'appareil photo plutôt que de prendre des photos. Mais dans les cas où tout change en une fraction de seconde, il n'est pas possible de revenir en arrière. Henri Cartier-Bresson, le maître de la photo de rue, a écrit : « Quand il est trop tard, on sait exactement pourquoi on a été insuffisant. Souvent, pendant le travail, une hésitation, une rupture physique avec l'événement vous a donné le sentiment de n'avoir pas tenu compte de tel détail dans l'ensemble ; surtout, ce qui est très fréquent, l'œil s'est laissé aller à la nonchalance, le regard est devenu vague, cela a suffi. » Mais aussi : « Nous jouons avec des choses qui disparaissent, et, quand elles ont disparu, il est impossible de les faire revivre. »

Enfin, si vous êtes préparé, vous pouvez saisir la chance au vol. Puis, le numérique offre plus de facilités que le film pour récupérer les erreurs. Toutefois, en photographie, le plus important reste l'instant lui-même.

Par conséquent, appuyez sur le déclencheur sans attendre.

1 On conseillait de ne pas prendre en photo des personnes placées sous des lampadaires, c'est sans doute toujours valable mais peu m'importe. J'aime cette juxtaposition étrange, tout particulièrement le chapeau. On n'a jamais le temps de réfléchir avec une image comme celle-ci, il faut appuyer instantanément.

2 Cette photo laissait un peu plus de temps de réflexion, quelques secondes, mais il ne fallait pas hésiter afin de prendre le garçon au centre du reflet du soleil.

02

Un événement unique

Le sous-titre pourrait être « n'espérez pas le revoir ». Il s'agit de l'un de ces douloureux conseils qu'on ne comprend qu'après en avoir fait l'expérience. Dans l'ensemble, la photographie montre un instant précis, même si cela semble moins important avec des photos de studio qu'avec des photos sportives. C'est aussi le cas avec un paysage, qu'on pense relativement statique alors qu'il est influencé par la dynamique de la lumière, du ciel et d'autres éléments en mouvement. L'échelle de temps n'est pas la même que pour la photo de rue ; malgré tout, un instant T dans le paysage est différent de l'instant suivant.

L'attente est aussi un grand danger avec les sujets lents ou statiques car il semble qu'il n'y a pas d'urgence. C'est une bonne idée de penser à la prise de vue et de la planifier mais très souvent vous serez désagréablement surpris, le temps ne joue pas en votre faveur et il n'améliore pas la situation. Il est très facile de regarder une scène et de se dire qu'elle serait mise en valeur s'il y avait un autre éclairage, si un nuage passait ou si vous attendiez le lendemain matin lorsque les ombres seraient de l'autre côté. Mais il ne s'agit que de si.

Il est plus prudent de prendre la photo au moment où elle se présente à vos yeux. Vous perdez uniquement le temps passé pour cette prise de vue. Vous pouvez ensuite revenir à l'aube ou quand vous le souhaitez, et si cela ne convient pas, vous avez toujours votre première photo.

1 Il s'agit d'un village jie, au sud du Soudan, et, pour différentes raisons, il a fallu des jours pour obtenir les autorisations de s'y rendre. Une fois sur place, je pensais prendre des photos à plusieurs moments de la journée, mais j'ai eu la prudence de prendre des clichés le jour même. C'était une bonne idée puisque nous n'avons pas pu y retourner.

2 En arrivant en fin d'après-midi au sommet de ce volcan au Costa Rica, j'ai vu que les nuages approchaient. Le temps de retrouver les clés de la voiture pour récupérer les appareils photo, nous étions dans les nuages. Mon obstination m'a fait rester trois jours, jusqu'à ce qu'il fasse clair mais cela ne valait pas vraiment la photo.

03

Utilisez le format Raw

Il ne s'agit pas uniquement d'un conseil technique puisque c'est le cœur même de la photo numérique. Il s'agit de la relation entre la prise de vue et le traitement de l'image. Dans l'idéal, il faut obtenir un maximum d'informations, pour la profondeur des couleurs et pour une gamme tonale étendue. Un appareil reflex de qualité prend plus d'informations qu'on ne peut en afficher sur un écran ou qu'on ne peut en imprimer. En ayant plus d'informations que nécessaire, il est possible de choisir la manière dont l'image est traitée.

Si vous laissez l'appareil photo traiter l'image, comme c'est le cas avec les formats TIFF ou JPEG, vous obtenez une seule interprétation. Par exemple, si vous choisissez une balance des blancs, vous ne pourrez pas la changer par la suite. Ce n'est pas £un problème puisque des logiciels de retouche d'images tels que Photoshop permettent la modification. Toutefois, vous aurez une légère perte de qualité avec cette méthode.

La profondeur de couleur d'un bon appareil photo numérique, lors de la prise de vue, est de 12 bits, voire 14 bits. En revanche, elle n'est que de 8 bits avec le moniteur le plus sophistiqué et encore inférieure pour l'impression. Cette profondeur de couleur supplémentaire pourrait être considérée comme du gaspillage mais elle est utile pour le posttraitement de l'image. Si vous modifiez les couleurs ou les nuances avec une image en 8 bits, il y a un risque de distorsion qui apparaît sur l'histogramme sous la forme de pics. Dans les zones dégradées de l'image, comme le ciel, vous pouvez voir des bandes colorées.

L'idée est donc de conserver intactes toutes les informations de la prise de vue afin de permettre le traitement sur l'ordinateur. Pour y parvenir, on utilise le format Raw (qui signifie format brut). Tous les appareils photo sérieux offrent maintenant un tel format.

Pourquoi ne pas utiliser uniquement ce format ? C'est une question de temps. Le format Raw doit être travaillé alors que les fichiers JPEG sont directement utilisables. Par exemple, les photographes sportifs ont des délais très courts. De plus, tout le monde ne souhaite pas manipuler les images sur l'ordinateur. Si vous avez correctement configuré l'appareil photo, un JPEG de qualité ne se distingue pas d'un fichier Raw retravaillé.

1-5 La balance des blancs était réglée pour la lumière du jour lors de cette prise de vue d'une caravane de chameaux traversant le désert de Nubie mais j'aime pouvoir essayer plusieurs réglages par la suite. Cette possibilité doit être considérée comme une nécessité et non pas comme un luxe.

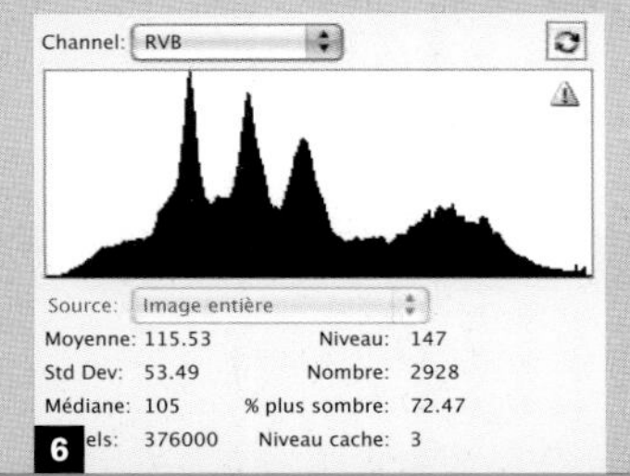

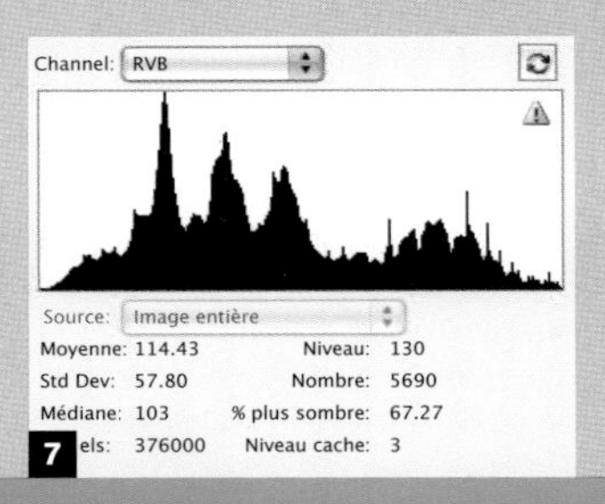

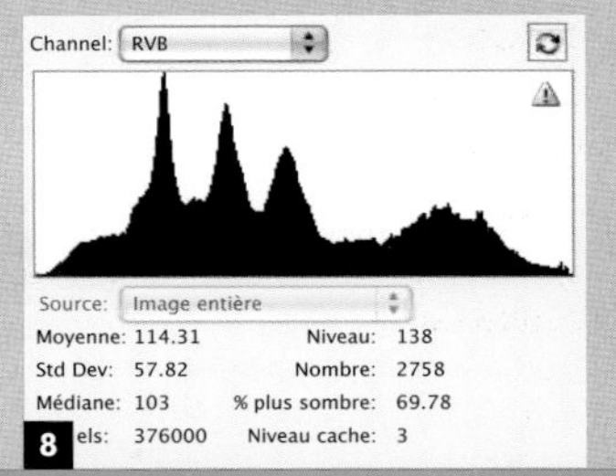

6-8 Les histogrammes montrent comment le contraste est augmenté puis revient à sa valeur d'origine. **6** est l'image de départ, **8** est pratiquement identique avec des réglages en 16 bits, ce que permet le format Raw. Toutefois, **7** contient de nombreux pics à cause d'un traitement en 8 bits.

04

Photographiez pour le futur

Les logiciels de traitement d'image s'améliorent sans cesse. C'est la nature même du développement logiciel et, que vous vous intéressiez ou non à l'informatique, le résultat c'est qu'il vous sera certainement possible d'effectuer plus d'action sur vos images dans le futur.

Vous pouvez être certain qu'une personne trouvera le moyen d'obtenir une meilleure qualité d'image à partir de vos clichés. Ce que vous pensez être un problème technique sur l'une de vos images pourra être résolu dans un an ou deux. Si vous regardez ce qui peut être réalisé grâce aux prises multiples, vous avez un aperçu du futur.

En pratique, pour photographier pour le futur, procédez comme suit :

* **Attention lorsque vous effacez pour des raisons techniques (voir Astuce 3).**
* **N'hésitez pas à utiliser le bracketing ou à prendre plusieurs photos (voir Astuce 74).**
* **Utilisez le format Raw dès que possible, les fichiers contiennent plus de données (voir Astuce 3).**

1-3 Voici un exemple de ce que permet un traitement complexe. **1** correspond à l'original pris au format JPEG en même temps que le fichier Raw, contenant les lumières hautes sur les épaules de la femme et sur son panier. **2** est le résultat du traitement du fichier Raw à l'aide d'Adobe Raw Converter, sans que de grandes modifications y soient apportées ; le résultat est peu satisfaisant. **3** utilise une technique différente. Deux versions sont créées à partir du fichier Raw, à l'aide de DxO Optics Pro qui se sert d'algorithmes complexes pour accentuer, entre autres, le contraste des tons moyens. Une version contient les lumières hautes et l'autre fait ressortir les ombres. Les deux versions sont combinées dans Photomatix. Enfin, certains réglages sont effectués à l'aide de Courbes dans Photoshop. Les détails sont alors visibles partout sans produire de bruit. Il a fallu plusieurs étapes et trois programmes mais dans un futur proche une telle opération pourrait être possible pendant la conversion du fichier Raw.

05

Préparez, oubliez, photographiez

Ce conseil un peu zen peut aussi se comprendre comme l'idée d'un entraînement qui conduit à l'intériorisation. Henri Cartier-Bresson appliquait cette technique à la photographie. La photographie d'action demande un temps de décision trop court pour que l'on puisse réfléchir. La seule méthode consiste à s'entraîner.

Il existe plusieurs types d'entraînements pour cette discipline.

Gestion de l'appareil photo
Il s'agit de pouvoir prendre la photo tout en réglant l'appareil photo. Vous vous entraînez pour que le fait de prendre des photos devienne une seconde nature ; l'appareil photo devient alors une extension de votre main.

Paramètres
Il existe de nombreux réglages sur les appareils photo numériques actuels. Si vous avez l'habitude de prendre des photos avec des conditions similaires, certaines combinaisons de réglages peuvent être adaptées. Vous devez, dans tous les cas, vérifier les paramètres en fonction de la situation dans laquelle vous prenez la photo. Par exemple, si le sujet est en déplacement rapide, vous sélectionnez la priorité à la vitesse.

Observation
C'est une technique essentielle qui va au-delà de la photographie. Vous devez être en alerte et intéressé afin de comprendre rapidement ce qui se passe autour de vous. Vous devez pratiquer en permanence, même sans appareil photo.

Anticipation
La suite logique d'une bonne observation, c'est que vous pouvez prédire ce qui va se passer. C'est important pour les reportages et essentiel avec le sport. En tant que photographe, que devez aussi prévoir comment la scène se présente d'un point de vue de l'image et pas seulement l'événement qui va se produire.

Stratégies de composition
Si vous savez identifier et retenir les types de compositions qui vous conviennent et les conditions pour les obtenir (par exemple, le point de vue ou la focale), vous vous créez une bibliothèque que vous utilisez pour trouver le type de cadrage qui convient à une situation précise.

1 Au-delà du cadrage et du timing, une photo de ce type dépend de l'exposition. Il existe plusieurs manières de prendre la petite surface de hautes lumières, selon les réglages qu'offre l'appareil photo et selon que vous utilisiez les réglages manuels ou automatiques. L'expérience avec les réglages est essentielle.

2 Avec des mouvements soudains, seule une réaction rapide permet de cadrer, surtout avec un grand-angle. Avant que cette personne ne surgisse, la composition était cadrée sur la gauche. L'appareil photo accompagne le mouvement vers la droite mais est aussi incliné vers le haut pour utiliser la diagonale et réduire le visage blanc.

06

Sauvegardez constamment

Ce n'est pas la peine de faire long puisque le titre de cette section dit tout. Toutefois, même si la sauvegarde n'est pas un sujet que l'on peut détailler, elle reste une opération cruciale en photo. Ignorez-la à vos risques et périls.

Si l'opération de sauvegarde est souvent ignorée, c'est que la plupart du temps tout fonctionne correctement. Les cartes mémoire de marque offrent une fiabilité exceptionnelle (ce qui n'est, en revanche, pas le cas avec les cartes à prix réduit) et, par conséquent, les pannes matérielles sont rares. Vous devez donc essentiellement vous protéger contre les erreurs humaines, les oublis ou les erreurs de manipulation (appuyer sur suppression à la place d'une autre commande). Dans le feu de l'action, il arrive qu'on formate la mauvaise carte, bien sûr, avant d'avoir transféré les images sur un autre support.

Tout le monde suit sa propre procédure mais, si vous n'avez pas encore fait votre choix, voici quelques idées.

* Lorsque vous arrêtez de photographier suffisamment longtemps, par exemple en fin de journée, transférez les images de la carte vers un autre support (portable, videur de carte, disque dur).
* Configurez votre logiciel (s'il le permet) de manière à récupérer uniquement les nouvelles photos. Le transfert s'en trouve simplifié et vous évitez les doublons.
* Si vous vous servez de plusieurs cartes, adoptez un système vous permettant de les classer. Par exemple, je place une carte pleine d'un côté d'un étui et je prends une carte vide de l'autre côté. Vous pouvez aussi les numéroter et les gérer sur l'ordinateur.
* Pour le transfert, adoptez un système de nommage des images qui permet d'éviter l'écrasement des fichiers.
* Effectuez plusieurs sauvegardes et conservez les copies dans plusieurs endroits, même sur un iPod.
* Conservez les sauvegardes dans des lieux différents. Si vous prenez l'avion, placez une sauvegarde dans les bagages enregistrés ou donnez-la à un ami.

Sauvegardez sur n'importe quel support. Voici mes périphériques : deux disques durs (à droite), un iPod (à gauche) mais aussi mon téléphone mobile.

1 C'est à vous de choisir ce que vous supprimez. L'effacement sur l'appareil photo est irréversible ; en cas de doute, il est intéressant que les photos soient sur l'ordinateur.

2 Si vous avez l'habitude de supprimer les photos lors de la prise de vue, il peut être sage de protéger les images essentielles, de nombreux appareils photo offrent cette option.

* Supprimez avec précaution

Certaines personnes prennent un grand nombre de photos puis font un tri et suppriment les images sans avenir. La question est : « quelles sont les photos à supprimer ? » Vous seul pouvez dire si vous avez besoin ou non d'une image. Toutefois, en supprimant à la hâte, vous récupérez peut-être de l'espace mais vous risquez de vous débarrasser de photos utiles. Par exemple, une photo surexposée et une autre mieux exposée peuvent maintenant s'assembler pour donner de meilleurs détails dans les ombres. En effet, des algorithmes permettent d'aligner des photos prises sans trépied, ce qui était impossible il y a quelques années.

Si vous sentez que vous avez vraiment envie de supprimer des images, envisagez ce qui suit. Gravez les images à effacer sur un, voire plusieurs, DVD que vous conserverez puis effacez-les du disque dur.

07

Réfléchissez au flux de travail

Le flux de travail (ou workflow) est un concept adapté à la photo numérique puisqu'on gère toutes les étapes : prise de vue, enregistrement, traitement et affichage. Comme nous venons de le voir, après les prises de vue, la priorité est la sauvegarde. Toutefois, vous devez réfléchir à l'organisation des différentes étapes.

Le flux de travail décrit la manière dont les images passent d'une étape à l'autre. Une fois que vous avez rempli votre carte mémoire, que se passe-t-il ? Que devez-vous faire avant de publier vos photos sur le Web ou avant de les imprimer ? Cela dépend de la quantité de photos, de ce que vous avez photographié, du lieu où vous êtes (chez vous ou en déplacement), de votre goût pour la retouche d'image. C'est une évidence, mais le flux de travail est différent pour chaque photographe. Cependant, il est important d'établir un flux de travail afin de ne pas traiter les photos au hasard et en fonction des occasions.

Si vous ne l'avez pas encore fait, posez-vous ces questions :

* Combien de photos prenez-vous en une séance et à quelle fréquence ? Vous devez connaître le nombre de photos que vous gérez à chaque séance et aussi le nombre total par an.
  Cela permet de gérer le temps, les procédures de modification et l'espace de stockage.

* Comment sélectionnez-vous les images ? Est-ce que vous conservez tout ou une petite partie ? Quand effectuez-vous votre sélection, immédiatement ou par la suite, avec un œil neuf ?
  Cela change la durée des différentes étapes du flux de travail.

* Quel degré de traitement et de postproduction pensez-vous appliquer à vos images ? Est-ce que vous utilisez le format Raw, JPEG ou TIFF ?
  Cela change la manière dont les images passent entre les différentes applications logicielles et le nombre de logiciels nécessaires.

Lorsque vous avez déterminé votre manière de photographier, vous pouvez passer à l'étape suivante, qui est de mettre en place ce flux de travail.

08

Établissez votre flux de travail

Les étapes habituelles d'un flux de travail sont les suivantes :

* choisir le format de fichier ;
* transférer les images de la carte ;
* effectuer une sauvegarde sur un autre support ;
* sélectionner les meilleures images ;
* effectuer la postproduction (retouche d'images).

Voici, à titre d'exemple, mon flux de travail.

* Prise de vue au format Raw et JPEG normal.
* Rotation des cartes lorsqu'elles sont pleines afin que la plus ancienne soit vidée en premier.
* À la fin de chaque journée, et parfois pendant la journée, transfert uniquement des nouvelles photos à l'aide du programme Photo Mecanic.
* Ensuite, les photos sont renommées selon ma méthode de catalogage.
* Si je suis en déplacement pendant plusieurs jours, j'ouvre une base de données (avec Expression Media) et, dès que j'ai l'occasion, je sélectionne les images et leur applique des étiquettes colorées ; je saisis le lieu, le sujet, une description et des mots clés. Cela facilite le transfert dans le catalogue chez moi.
* À la fin de chaque journée, je sauvegarde les images deux fois, sur deux disques durs portables que je stocke séparément.
* Si j'ai le temps, je traite les images sélectionnées à l'aide de DxO Optics Pro. En cas de long déplacement, j'essaie de tenir la cadence avec les prises de vue, et toutes les photos sélectionnées sont traitées avant que je rentre.
* Lorsque je trouve une bonne connexion, je crée des JPEG de grande qualité que je place sur mon site Web.
* De retour, je copie toutes les images sur le RAID (ensemble de disques) qui sert de banque d'images et sauvegarde ma base de données. J'effectue des sauvegardes sur deux disques durs de grande capacité, je supprime les images du portable et des disques durs portables lorsqu'ils sont pleins.

Le parcours des images de matériel en matériel

appareil photo

carte mémoire

lecteur de carte

ordinateur

Le parcours des images de logiciel en logiciel

Le transfert des images de la carte est la première étape du flux de travail. Ici, il s'agit d'un lecteur FireWire mais il existe d'autres méthodes et d'autres périphériques pour cette opération. Le logiciel utilisé est Photo Mecanic.

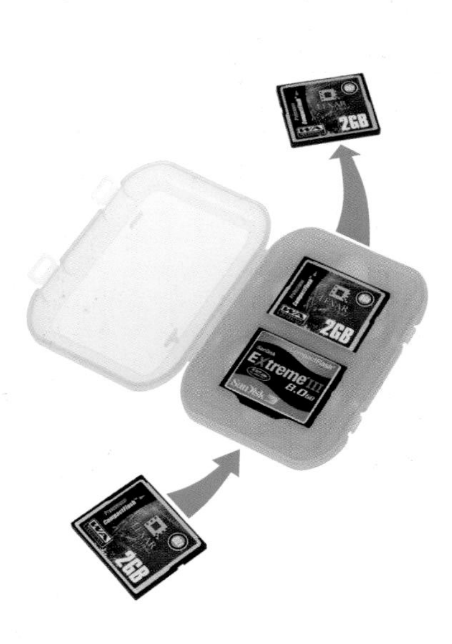

Si vous utilisez plusieurs cartes, ayez une bonne organisation pour les gérer et éviter d'en formater une avant d'avoir transféré les images. Ma méthode consiste à déplacer les cartes de bas en haut dans un boîtier. J'utilise rarement plus de deux cartes.

disque de sauvegarde permanente

disque dur portable de stockage temporaire

disque dur pour de stockage permanent (RAID)

DVD ou bande de sauvegarde

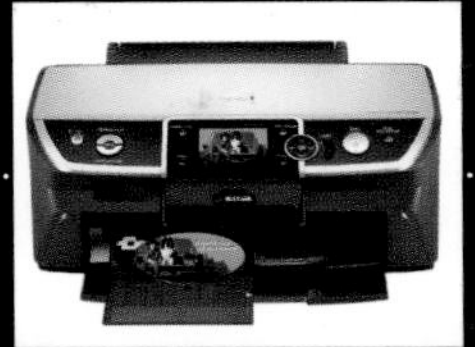

imprimante de bureau (planche contact ou épreuve)

modem (transfert en ligne)

logiciel intégré à l'appareil photo

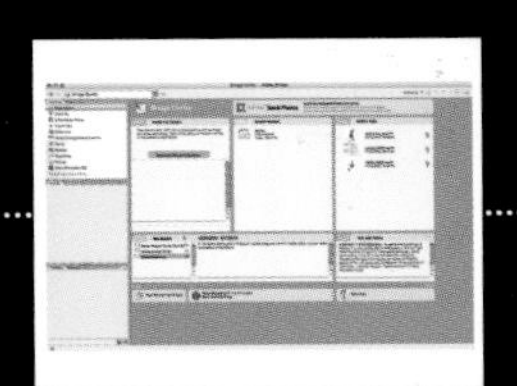

navigateur

logiciel de retouche et convertisseur Raw

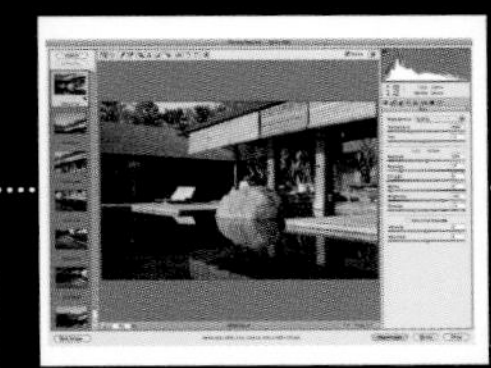

compléments : réduction de bruit, effets

base de données d'images

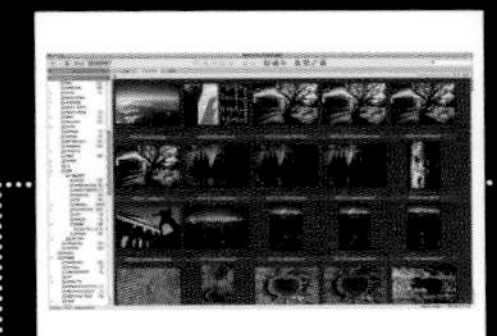

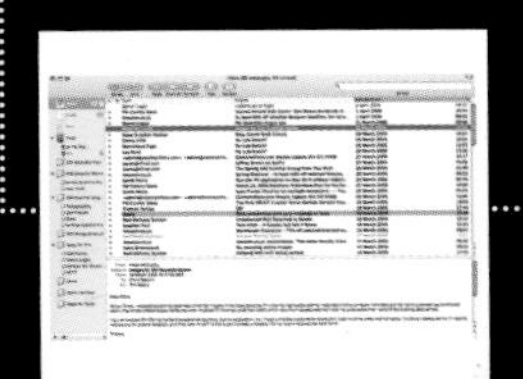

e-mail ou FTP

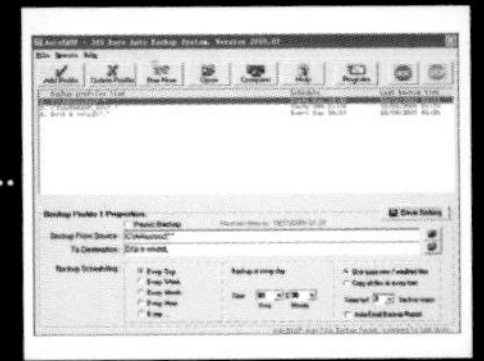

archive ou logiciel de restauration

09

Conscience de la situation

1 Cette photo d'un orage dans le Massachusetts laissait du temps. Les nuages arrivaient depuis une heure et, en connaissant les conditions météo et le vent, on pouvait envisager une accalmie.

2 La petite croix au centre de l'image est la partie la plus importante de l'image. Je me suis placé de manière à attendre l'instant où elle serait visible entre les deux vaches qui passaient dans un camp dinka au Soudan.

Si vous trouvez que je mets trop en avant la photo de rue et le reportage, ce qui est sans doute vrai, c'est qu'il s'agit d'un secteur de la photographie très demandeur lorsqu'il s'agit de gérer l'imprévu. Tout ce que vous apprenez ici est utile dans d'autres situations. La conscience de la situation consiste à savoir où vous vous trouvez, ce qui se passe autour de vous et comment les éléments et les personnes sont reliés. Lorsque vous n'êtes plus dans un studio et que rien n'est sous votre contrôle, il est très important que vous soyez totalement connecté à la scène que vous photographiez. Par exemple, dans le domaine de la photo animalière, il est essentiel de connaître le comportement d'un animal. Lorsque vous êtes en situation, vous utilisez vos connaissances pour être prêt à prendre la photo.

Avec la photographie de manière plus générale, l'utilité de cette connaissance peut ne pas être très évidente. Toutefois, trouver la dynamique d'une scène peut demander de la concentration sauf si cela devient une seconde nature. Vous pouvez vous entraîner à analyser les situations. Par exemple, dans la rue, dans un aéroport ou au restaurant, regardez ce qui se passe et pourquoi. Pour les paysages, regardez les changements de météo et d'éclairage ainsi que les effets avec différentes longueurs de focale.

10

Utilisez le contexte

Ce conseil s'applique à certains types de photos, en particulier aux reportages. Un événement qui laisse du temps et offre l'espace nécessaire pour rechercher différents types d'images et un exemple de contexte. Un autre exemple est une situation avec une image bien cadrée dans laquelle les éléments peuvent changer ou non. En fait, par contexte, je pense plutôt à cette seconde situation parce qu'il faut prendre des décisions qui peuvent améliorer une photo imaginée, à condition qu'un élément ait déjà retenu votre attention. Dans l'exemple des images, il s'agit de personnes qui passent devant un panneau d'affichage mais il peut s'agir de lumière ou de tout autre élément. Parfois, en un instant, toutes les conditions sont réunies et vous savez que c'est le moment *précis*. Parfois, vous trouvez que l'image est bonne mais qu'elle serait meilleure si quelque chose se produisait. Ici, j'illustre cela avec des images banales de personnes qui passent devant une affiche. Les possibilités graphiques sont immenses mais le hasard garde sa place. Dans une telle situation, si vous n'êtes pas pressé, il peut être intéressant d'attendre quelques minutes.

La seconde image, une visiteuse du musée d'Art moderne de Shanghai, conserve ce thème de personnes devant une image. Un de ses amis la prenait en photo, ce qui ne faisait pas un sujet très intéressant, mais elle ne savait pas que ses cheveux ressemblaient aux oreilles du panda. D'ailleurs moi non plus et c'est un ami qui me l'a fait remarquer. Ce n'était pas prévu et on l'a découvert en observant.

Lorsqu'on attend, il faut finir par prendre la décision de partir. Souvent, lorsque les éléments changent, on finit par voir des répétitions, c'est-à-dire que vous aurez pratiquement tout vu et que les chances d'être surpris se réduisent. Toutefois, elles ne sont pas nulles et vous devez faire un compromis entre l'attente de cet instant et passer à un autre sujet.

1-7 **Comme indiqué dans le texte, ce type de scène dans laquelle vous attendez quelque chose (des personnes) demande de la patience et du temps. La meilleure photo n'est pas forcément la dernière.**

8 **Après avoir pris la photo que vous souhaitiez, en glanant un peu, vous pouvez trouver une perle supplémentaire.**

11

Explorez le sujet

Une scène peut contenir bien plus que ce que vous voyez au premier regard. Cela s'applique autant aux paysages qu'aux personnes qui exercent une activité. La nature humaine étant ce qu'elle est, il est fréquent de penser qu'une fois qu'on a photographié le sujet correctement et qu'on possède suffisamment de clichés dans l'appareil photo, tout est parfait et on peut passer à autre chose. Et plus on pense que le cliché qu'on vient de prendre est excellent, moins on a envie de glaner d'autres photos, et on peut en rater d'autres excellentes.

Il existe deux manières de rechercher d'autres photos. D'abord en examinant la situation, en recherchant d'autres points de vue afin de voir comment se présente le sujet. Ensuite, vous pouvez modifier les réglages de l'appareil photo et essayer d'autres focales ou une autre exposition. Vous pouvez avoir de bonnes raisons de chercher d'autres clichés, par exemple un excellent photographe attend votre place, mais si vous n'en avez pas, explorez toutes les richesses du sujet sur lequel vous travaillez.

Bien entendu, il faudra bien arrêter ! Ansel Adam a écrit : « J'ai toujours en tête la remarque d'Edward Weston, "Si j'attends quelque chose ici, je peux rater autre chose de mieux ailleurs". » C'est le dilemme des photographes.

1 2 3 4 5

6

1-6 Singe dans la neige.

Chaque scène et chaque situation possèdent leur propre aspect, et la base de la photographie de reportage est de couvrir autant que faire se peut toutes les possibilités. Dans le cas de ces singes dans les montagnes de Nagano au Japon, cela nécessite de mettre en avant le comportement et de photographier des portraits et des scènes d'action. Et ce qui habituellement n'est pas montré, c'est que, le week-end, les singes sont les photographes et non pas les animaux.

12

Photographiez en aveugle

Si vous ne souhaitez pas être vu dans la foule ou si vous risquez d'embarrasser vos sujets, cette technique peut être très utile. Plutôt que de placer l'appareil photo devant vos yeux et donc de vous dévoiler, maintenez-le plus bas, par exemple à la ceinture, sur vos genoux ou posez-le sur une table. Appuyez ensuite sur le déclencheur sans regarder l'appareil photo. À l'époque du film, c'était une technique hasardeuse, même si certains appareils photo permettaient de viser en regardant l'image projetée sur un verre dépoli. Il suffisait alors de faire semblant de nettoyer l'appareil photo.

Les appareils photo numériques facilitent la prise de vue en aveugle puisqu'il est possible de vérifier le cadrage et la composition immédiatement. Dans un tel cas, le mode tout automatique est très pratique. Visez et cadrez autant que vous le pouvez, puis faites la mise au point. Il peut être utile de regarder ailleurs pendant que vous prenez la photo afin d'être plus discret. Vous pouvez vous entraîner à cadrer en maintenant l'appareil photo sur votre poitrine à l'aide d'une courroie. Utilisez toujours le même objectif avec la même longueur de focale afin de parfaitement connaître les résultats.

Si vous disposez d'un écran de visée, il peut même être possible de placer l'appareil photo de manière que vous voyez cet écran afin d'effectuer un cadrage plus précis. Mais, dans ce cas, vous risquez d'être moins discret.

1 Un Birman assis à la table d'un café à Rangoon. J'aimais la luminosité mais il n'était pas possible de viser sans être vu. La photo a été prise avec l'appareil photo à côté de la tasse de thé.

2 Assis en face d'une famille qui attend le bus, j'avais du temps pour cadrer et régler cette photo avec l'appareil placé sur mes genoux. J'ai contrôlé les images entre chaque prise pour modifier les réglages en conséquence.

3 Actuellement, de nombreux reflex permettent une visée avec l'écran LCD même avec un angle important. En tenant l'appareil à la ceinture, on peut effectuer la composition.

13

Donnez une chance à la chance

2-5 **Même avec la mobilité d'un hélicoptère, on n'a pas toujours une seconde chance. Ce qu'on voit à travers la fenêtre est imprévisible à cette altitude, et alors que je travaillais sur ce groupe de mausolées en forme de cônes, j'ai aperçu l'éclat d'une silhouette. L'objectif était à focale fixe et je ne pouvais que recadrer. Même si le haut de l'un des bâtiments était coupé sur la première prise, le cadrage était bon. J'ai refait immédiatement le cadrage à la verticale en espérant tout obtenir mais le résultat est moins bon. L'hélicoptère a continué son vol et nous a rapprochés, en permettant uniquement des gros plans.**

En photographie, où les images sont créées en une fraction de seconde, le hasard peut jouer un rôle important. C'est fréquent avec la photo de rue et, souvent, ce qui apparaît est indésirable ou peu intéressant, par exemple, une personne passe dans votre champ de vision et obscurcit votre image. Cela donne parfois une image tout à fait imprévue. Toutefois, la chance en photographie dépend également de votre aptitude à la laisser venir en continuant de photographier lorsque rien ne se passe comme prévu. La photo numérique évite le gaspillage du film et vous pouvez supprimer les images par la suite (voir Astuce 6).

La chance intervient sur l'image de plusieurs façons mais on peut en retenir deux : ce qu'on voit au moment de la prise de vue et ce qu'on découvre après. C'est cette dernière qu'on peut voir ici sur une photo prise sur des escaliers menant au Bund de Shanghai. Je travaillais sur les juxtapositions des personnes qui allaient et venaient mais je voulais aussi prendre le reflet coloré sur le globe de la tour de la perle orientale. Il y avait beaucoup de mouvement dans le cadre et j'ai réalisé la prise dès que possible. Parmi les photos que j'ai découvertes ensuite, on trouve celle-ci. Le mouvement de la main de la femme qui attrape la rampe était trop rapide pour que je le remarque mais cela donne une étrange impression d'une main qui tient la lumière.

1 **Comme indiqué dans le texte, je souhaitais prendre les reflets colorés sur la tour distante. Mais j'ignorais qu'on aurait l'impression qu'au même instant la femme tenait la lumière dans sa main.**

14

Si vous avez un doute sur l'autorisation

1-2 Dans de nombreuses sociétés islamiques, non seulement les femmes sont voilées mais les photographes hommes doivent demander l'autorisation pour prendre des photos. C'est le cas pour cette jeune femme Rashaida, et vous pouvez voir qu'il ne faut pas provoquer les hommes.

3 L'une des particularités de l'Inde, c'est que les ponts font partie des éléments qu'il est interdit de photographier pour des raisons de sécurité nationale, même les plus anciens. Prenez la photo rapidement et à l'abri du regard de la police.

Ici, je ne parle pas des règles équivalentes à celles qu'on trouve dans les musées ou sur les sites archéologiques mais de ce qui est acceptable dans différentes cultures ou sociétés. Lorsqu'on voyage, on se trouve parfois face à des règles inconnues en ce qui concerne la religion ou les habitudes culturelles. Le photographe se trouve en conflit entre le comportement correct et le besoin de photographier. Par nature, les photographes sont envahissants et poussent souvent les limites de ce qui est permis pour obtenir de bonnes images.

Moins vous êtes certain de ce que vous avez le droit de faire, plus il est important de rechercher des informations sur le lieu et la culture. Pour des lieux où la religion est importante culturellement, comme dans des sociétés bouddhistes ou hindouistes, vous devez vous renseigner avant le voyage. En général, les astuces suivantes fonctionnent dans la plupart des circonstances, puisqu'il s'agit de simples conseils de bon sens.

* En cas de doute, commencez par regarder ce que font les autres.
* Soyez poli.
* Souriez.
* N'attirez pas l'attention inutilement.
* Si vous pensez mal agir, allez ailleurs.
* Ne montrez jamais de colère.
* Demandez uniquement la permission si vous pensez que la réponse sera oui. Vous pouvez aussi photographier puis vous excuser d'un sourire.
* Montrez les photos aux personnes mais uniquement les portraits souriants.
* Apprenez quelques mots de la langue, pour montrer votre intérêt.

Chapitre_ 02

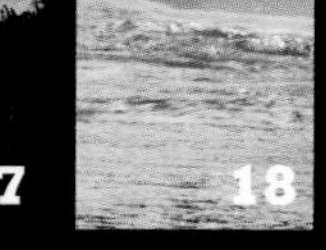

Exposition

15

Découvrez votre plage dynamique

1

La plage dynamique est plus importante en photo numérique qu'avec les films. Ces derniers répondent de manière plus douce de chaque côté de la plage alors que les capteurs numériques ont des limites franches. Par conséquent, si vous surexposez, ne comptez pas récupérer des informations dans les lumières hautes – et le même principe s'applique avec la sous-exposition. De plus, la plage dynamique varie d'un modèle et d'une marque d'appareil photo à l'autre, et les constructeurs divulguent peu d'informations afin de conserver leur avantage puisqu'une grande partie de la recherche porte sur ce secteur de la photo.

Si vous possédez un reflex haut de gamme, vous pouvez espérer que la plage dynamique est meilleure que sur un modèle d'entrée de gamme. Toutefois, là encore, tout dépend du modèle. Un nouveau modèle d'entrée de gamme peut être meilleur qu'un ancien modèle haut de gamme. Par conséquent, vous devez connaître les capacités de votre appareil photo afin de cerner les types de scènes que vous pouvez photographier sans perdre de détails, ni utiliser d'éclairage complémentaire.

Les éléments principaux qui contrôlent la plage dynamique d'un capteur sont le nombre de bits, la taille des cellules et les caractéristiques du bruit. En ce qui concerne le nombre de bits, plus la valeur est élevée, plus grande est la plage lumineuse enregistrée par le capteur ; ainsi, un capteur de 14 bits enregistre plus d'informations qu'un capteur de 12 bits. Mais le capteur doit aussi offrir des cellules de qualité et plus ces dernières sont larges moins il y a de bruit sur la photo. Certains capteurs utilisent des technologies avancées, par exemple, le Super CCD SR II de FujiFilm qui possède deux photosdiodes pour chacune des cellules : une large pour une utilisation générale et une plus petite qui réagit aux hautes lumières.

Enfin, le bruit qu'on peut voir dans les parties faiblement éclairées est un facteur qui limite la plage dynamique de façon plus importante que le nombre de bits. Le bruit plancher se situe dans la limite inférieure de la plage dynamique. Vous pouvez en voir les effets en essayant d'afficher les détails dans les ombres de n'importe quelle image. Si vous faites cela avec le format Raw, si vous augmentez l'exposition ou la luminosité, arrivé à un certain seuil, vous révélez plus de bruit que de détails.

Ne prenez pas à la lettre les affirmations des constructeurs, il est facile de laisser penser que les performances sont bonnes (par exemple, le bruit plancher). Vérifiez la plage dynamique de votre appareil photo comme cela est indiqué sur la page suivante.

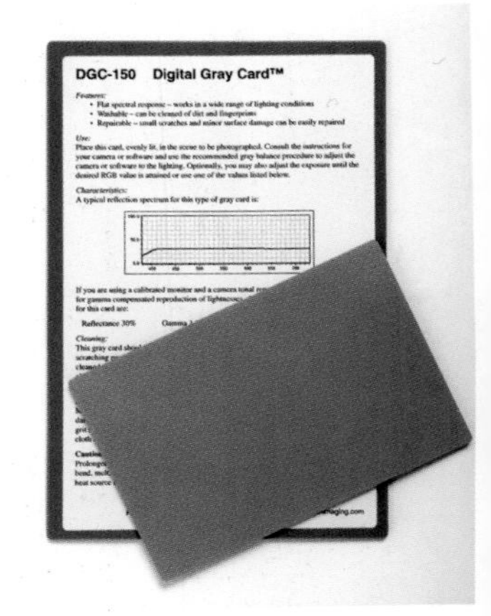

Carte grise

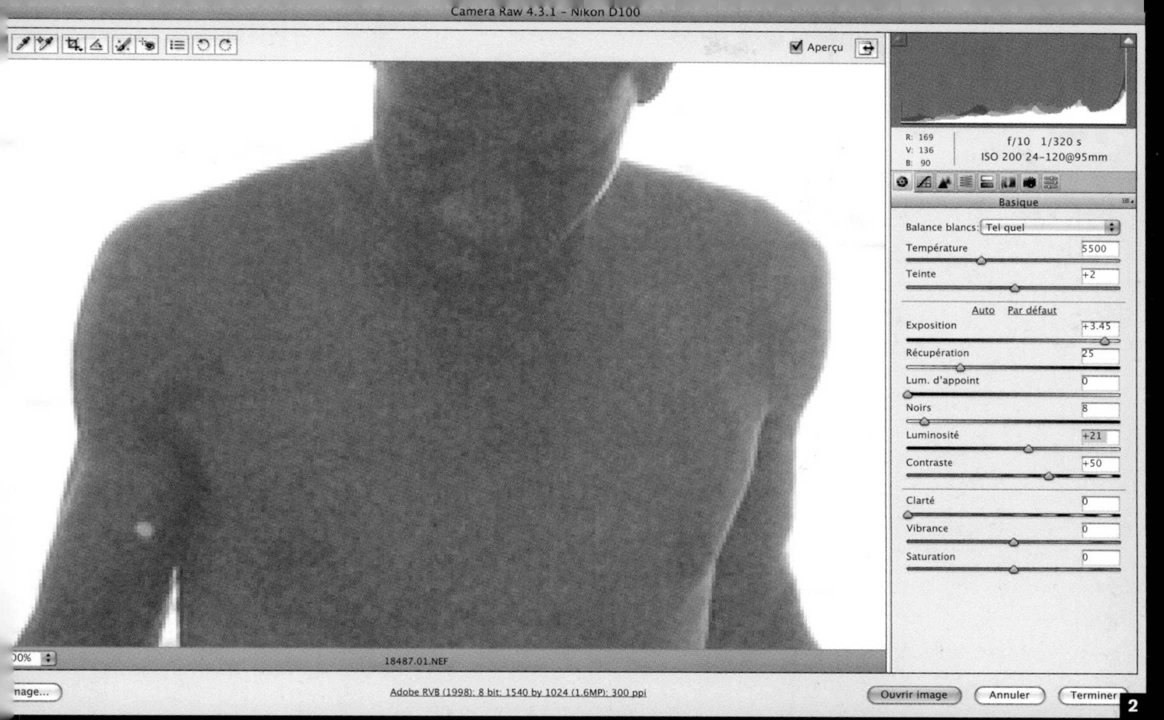

1-2 Actuellement, la plus grande limitation des capteurs est le bruit plancher, la zone la plus sombre dans laquelle on distingue les détails. Dans l'image de la silhouette, en ouvrant les ombres d'au moins quatre stops, on voit que le bruit élimine les détails du visage et du torse. Il s'agit du bruit plancher. Si les performances du capteur étaient meilleures (ici, il s'agit d'un Nikon D100), la plage dynamique aurait été plus grande.

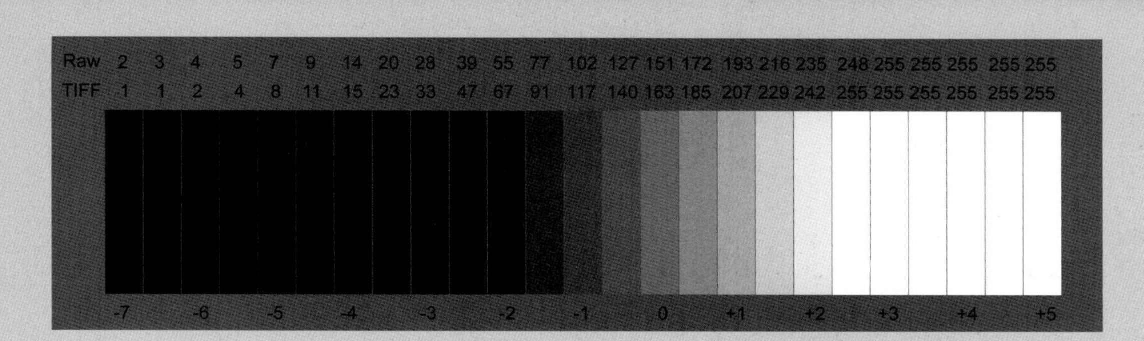

✱ Contrôlez la plage dynamique.

Photographiez une carte grise (voir Astuce 27) avec une lumière qui ne change pas puis défocalisez l'appareil photo afin d'obtenir un ton uni. Commencez par photographier avec une exposition moyenne puis prenez une série avec des intervalles de 1/2 ou 1/3 de stop afin d'obtenir au moins 6 stops plus foncés et 4 stops plus clairs. Dans un programme de retouche d'image qui permet de mesurer la luminosité, assemblez les images dans l'ordre puis nommez-les avec les expositions. Mesurez les valeurs avec une échelle de 8 bits de 0 à 255. Trouvez et marquez l'emplacement qui mesure 5sur la partie de gauche (tout ce qui est inférieur est noir) et procédez de même pour la valeur 250 (au-dessus, tout est blanc). Ces deux extrêmes font la plage dynamique. Si votre appareil photo utilise le format Raw, mesurez ces valeurs en ouvrant les images dans le convertisseur Raw. Dans l'exemple, le Nikon D3 prend une plage d'environ 9 stops. Notez que l'exposition va plus rapidement dans la saturation des blancs que des noirs.

16

Trouvez la plage dynamique

Ces cinq exemples parlent d'eux-mêmes. Ils montrent ce que le photographe considère comme important et ce qui devient un problème avec deux des images : les trois œuvres d'art sur la plage et la scène de rue de nuit. Aucun appareil photo n'est capable de saisir en une seule exposition le détail du reflet du soleil ou tous les détails du lampadaire (il est possible de combiner plusieurs prises, voir Astuce 76).

La plage dynamique d'une scène mesure son contraste et la sous-exposition, ce qui est essentiel avec les capteurs numériques qui ne pardonnent rien. Si vous êtes déjà familier des plages dynamiques correspondant aux situations courantes et que vous les reconnaissiez en un instant, vous aurez plus de chance de prendre les décisions adéquates – comme changer de point de vue et de composition et décider les zones claires que vous sacrifiez. Vous pouvez aussi réfléchir aux techniques de posttraitement que vous utiliserez, par exemple en prenant d'autres clichés pour les assembler ou pour créer une image HDR.

La plage dynamique pratique dépend de ce que vous êtes prêt à perdre. Certains photographes préfèrent souligner les lumières hautes, d'autres veulent que les ombres profondes soient noires. En fait, nous sommes conditionnés pour apprécier les photos qui ne possèdent pas trop de lumières hautes et dont les ombres ne contiennent pas trop de détails. La photo n'est pas scientifique et elle semble réaliste uniquement lorsqu'elle se trouve dans une plage dynamique familière.

Par conséquent, lorsque vous regardez une scène, vous devez décider de ce qui est important et de ce qui ne l'est pas. Vous pouvez peut-être réduire des lumières hautes ainsi que les ombres. Il n'existe pas de formule préétablie, chaque scène est différente et votre appréciation diffère de la mienne. La plage dynamique effective couvre uniquement les parties de la scène qui sont importantes.

Les exemples détaillés dans cette astuce portent sur un grand nombre de situations et sont plus efficaces qu'une longue description.

Équivalence plage *ƒ*-stop de la scène

Scène	Équivalent *ƒ*-stop
Ombre profonde sur les rochers jusqu'au soleil	plus de 30 stops
Intérieur avec fenêtre qui ouvre sur le soleil brillant	12-14 stops
Ombre modérée jusqu'au reflet du soleil dans l'eau	10-12 stops
Surface sombre dans l'ombre jusqu'à une surface blanche dans le soleil de l'après-midi ou du matin	8 stops
Journée nuageuse, de l'ombre des arbres jusqu'au ciel	5 stops

17

Interprétez les histogrammes

De prime abord, les histogrammes ne sont pas très engageants pour juger une image mais, avec l'expérience, ils permettent d'estimer l'exposition, la luminosité et le contraste, et plus rapidement qu'en regardant l'image elle-même sur l'écran LCD. Vous pouvez apprendre à y reconnaître les signes d'un problème (savoir que la photo n'est pas correctement exposée ou que vous aurez des problèmes de posttraitement par exemple).

L'histogramme est une sorte de carte des tonalités d'une image (et des couleurs, si votre appareil photo affiche les histogrammes rouge, vert et bleu). La partie gauche correspond au noir et la droite au blanc, la forme de l'histogramme indique de quelle façon sont distribuées les tonalités.

Commencez par regarder les bords gauche et droit. Si l'histogramme est écrasé sur les bords, vous avez un problème d'exposition. Du côté gauche, il s'agit d'ombres sous-exposées et une partie importante de l'image est noire ; du côté droit, il y a trop de lumières hautes. Lorsque l'histogramme est écrasé des deux côtés, la scène est très contrastée, mais si tous les tons se placent bien dans l'échelle sans atteindre la gauche ou la droite, elle manque de contraste. Cela ne pose pas de problème technique, sauf si vous souhaitez par la suite obtenir une plage complète de contraste. Dans ce cas, vous devrez travailler avec une image 16 bits pour éviter les bandes de couleurs.

Sous-exposition

Danger : sur le bord gauche, trop de tonalités sont écrasées et certaines sont en noir pur.

Solution : l'espace à droite indique qu'il est possible d'augmenter l'exposition, peut-être de 1,5 stop, sans problème de haute lumière.

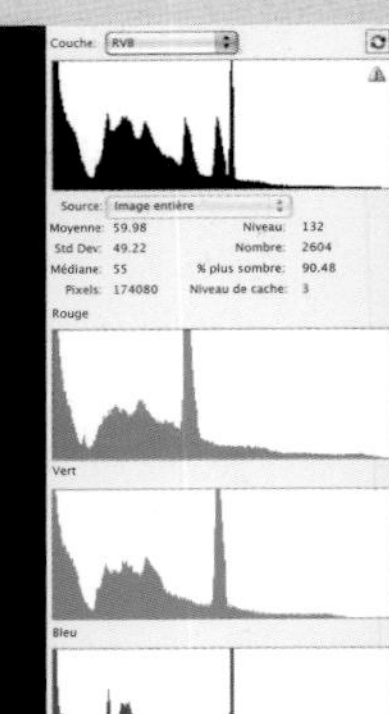

Surexposition.

Danger : sur le bord droit, trop de tonalités sont écrasées et certaines sont certainement en blanc pur.

Solution : l'espace à gauche permet de réduire l'exposition sans trop augmenter les ombres.

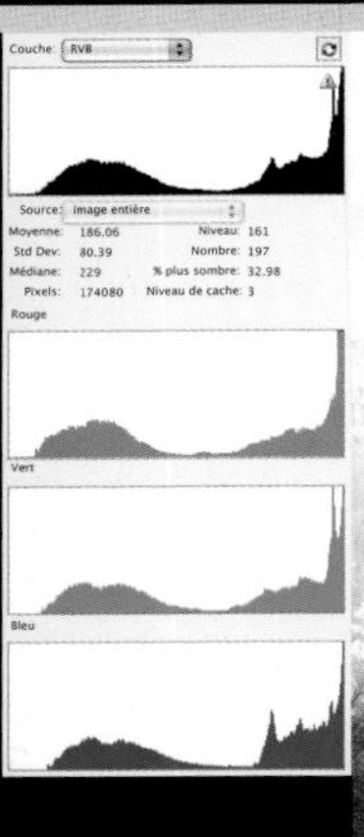

Contraste élevé.

Danger : les bords gauche et droit font perdre dans les ombres et les hautes lumières.

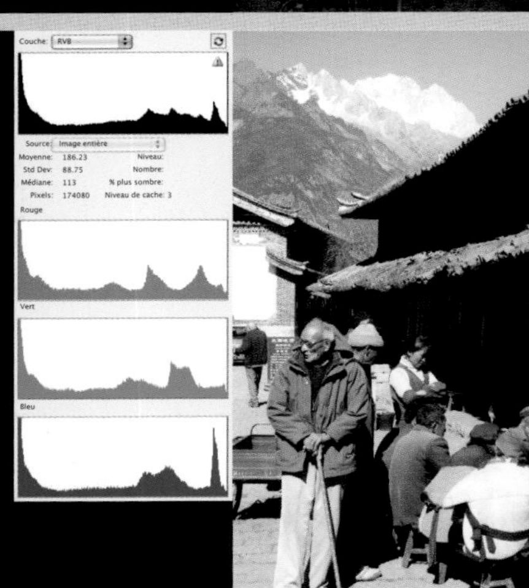

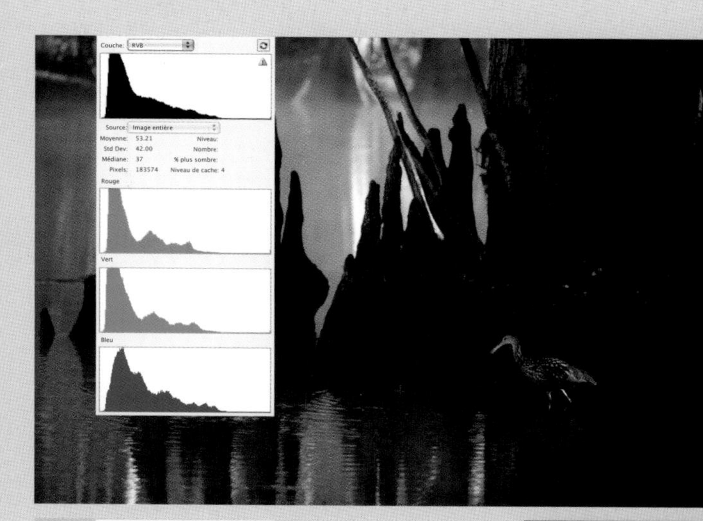

Sombre.

Danger : la plupart des tonalités se trouvent à gauche. Si vous voulez une image sombre, ce n'est pas un problème : pour obtenir des ombres, soit vous augmentez l'exposition et faites ressortir les lumières hautes, soit vous effectuez un posttraitement sur 16 bits.

Solution : il n'y a pas de place à droite pour augmenter l'exposition sans coupure.

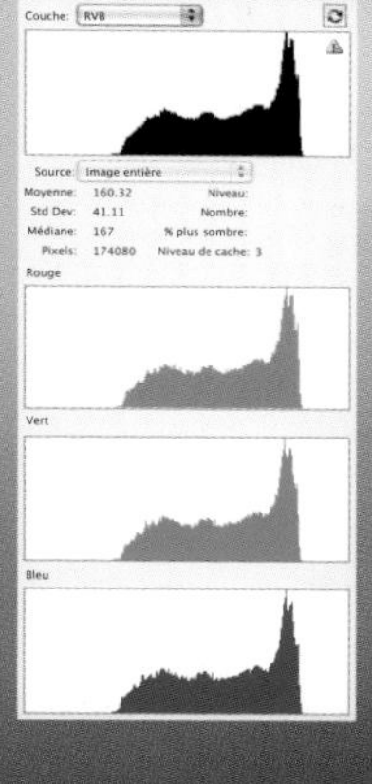

Faible contraste (gauche).

Danger : aucun dans l'immédiat, mais toutes les tonalités se trouvent réunies dans une petite zone. Pour traiter cette image de façon qu'elle utilise toute la plage du noir au blanc, il faut l'étirer et donc créer des bandes de couleurs.

Clair (droite).

Danger : l'essentiel des tonalités est concentré à droite. Selon ce que vous souhaitez faire de l'image – laquelle pourrait être plus sombre, vous pouvez modifier l'exposition ou faire du posttraitement.

Solution : il n'y a pas de place à gauche pour réduire l'exposition sans coupure.

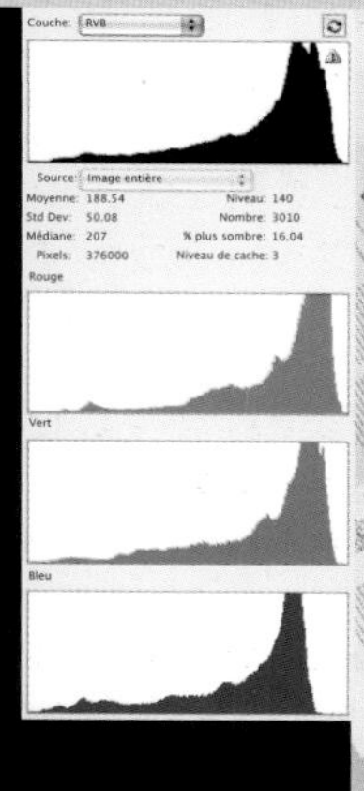

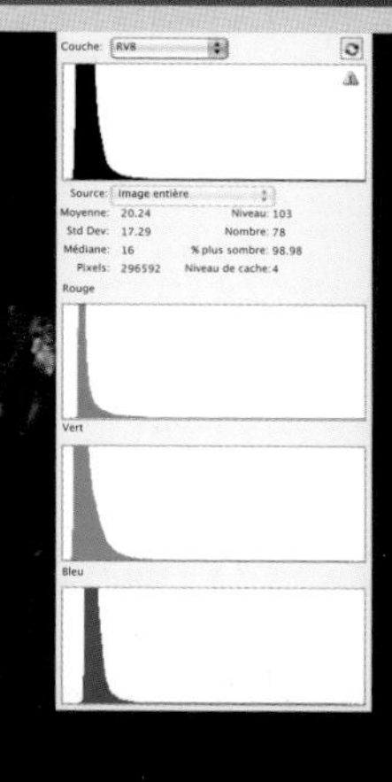

Lumières hautes intenses.

Danger : occupe uniquement un petit espace. Si c'est important, il faut nettoyer le bord droit pour conserver les tons délicats.

18

Adoptez les histogrammes

Les histogrammes permettent non seulement de dépanner mais aussi d'affiner l'exposition et le contraste. Plus vous maîtrisez les histogrammes, plus votre affinage sera réussi. La meilleure méthode pour apprendre à les lire consiste à regarder une photo et l'histogramme correspondant afin d'identifier les parties de l'image qui correspondent aux pics et aux creux. Ils sont conçus pour être interprétés en un coup d'œil et les longues descriptions ne sont pas adaptées, ces deux pages présentent donc des images et pas des mots.

Diagnostic : une bonne plage de tonalités occupe la totalité de l'espace sans coupure. Les canaux des couleurs montrent une différence entre le bleu du ciel et son reflet plus foncé dans le lac (deux pics distincts). Dans l'histogramme RGB, vous pouvez voir de gauche (noir) à droite (blanc) les ombres du lac, l'herbe (à droite avec le pic du ciel) et un petit pic qui correspond au nuage blanc.

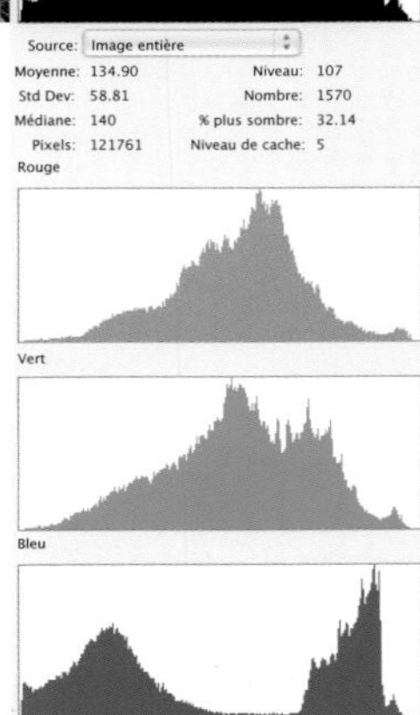

Diagnostic : au premier abord, l'herbe de cette photo avec l'éclairage arrière semble pure mais il peut y avoir plus de rouge que vous ne le pensez. Elle occupe le pic à droite du canal vert mais occupe aussi la partie droite du rouge. Le pic de gauche dans tous les canaux représente les silhouettes. Dans le canal bleu, le deuxième pic à partir de la gauche correspond au bleu à l'arrière-plan de l'eau, et l'eau claire correspond à la pente à droite dans tous les canaux.

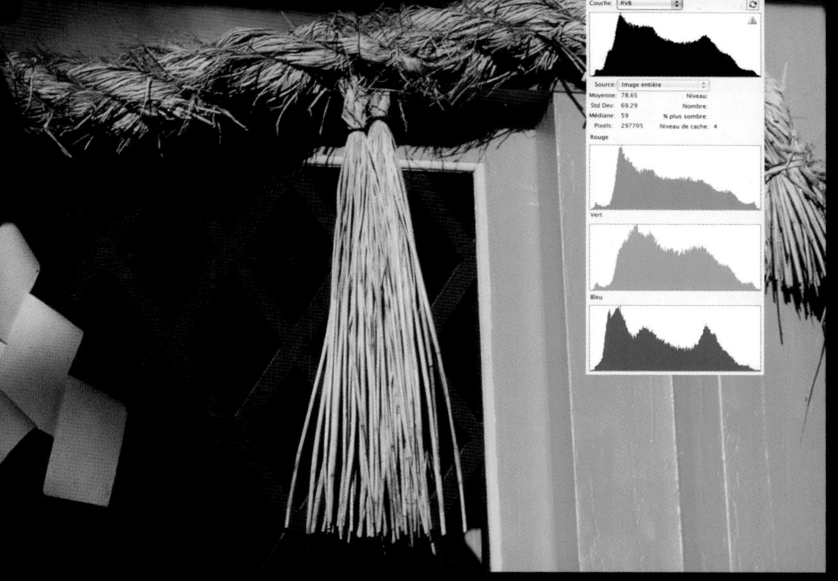

Diagnostic : ce détail d'un lieu shinto est segmenté, avec une zone d'ombres sombres et une autre zone de tons clairs (le bois orange et la paille). Les canaux des couleurs, de gauche à droite, montrent que les ombres sont douces et les zones claires sont chaudes.

Diagnostic : même si au premier coup d'œil, on peut croire qu'il s'agit d'une scène avec un faible contraste, cette image a été traitée pour couvrir la totalité la plage du noir au blanc. Les parties sombres des lignes électriques et des pylônes sont peu visibles : faibles, elles sont placées sur le bord droit. La succession régulière de pics indique ce que l'œil ne voit pas. Les canaux de couleurs indiquent que le bleu domine les lumières hautes, que le vert domine les tons moyens tandis que le rouge est présent.

19

Photographiez les lumières hautes

Tous les problèmes d'exposition tournent autour d'un contraste important, c'est-à-dire d'une scène avec une plage dynamique élevée. Cela n'est pas nouveau et les photographes gèrent cela depuis toujours en utilisant, entre autres, une exposition qui permet d'obtenir les lumières hautes. Cette technique était efficace avec les diapositives et particulièrement avec le Kodachrome, un choix de professionnel mais qui réagissait mal à la surexposition. Dans les cas très contrastés où il est difficile de modifier l'éclairage ou de prendre plusieurs expositions (c'est-à-dire la majorité des cas), la solution consiste à perdre les ombres ou les lumières hautes. La plupart du temps, il vaut mieux perdre les ombres.

Il est plus facile de récupérer le détail des ombres que des lumières hautes en posttraitement. Comme nous l'avons vu, la limite du capteur dans la partie basse est le bruit plancher, où il devient difficile de distinguer la lumière du bruit. Quoi qu'il en soit, il existe différents traitements qui servent à réduire ce bruit, et les résultats sont très souvent acceptables visuellement. Malheureusement, aucun algorithme ne permet de récupérer une perte totale d'information dans les hautes lumières surexposées. Si les trois canaux sont brûlés, les pixels obtenus sont vides. Il existe une « petite » solution lorsqu'on trouve des données, par exemple avec Recovery d'ACR, mais cela ne va pas très loin.

C'est pour cela qu'on conseille de conserver les lumières hautes lors de la prise de vue mais aussi pour des raisons de perception. L'œil est plus attiré par les zones claires que par les zones sombres. Si l'image contient des ombres nettes et que les lumières hautes soient brûlées, le résultat ne sera pas apprécié. Cela ne veut pas dire que vous ne pouvez pas faire une belle photographie de cette manière (il s'agit de la photographie high-key), mais cela n'est pas perçu comme un standard.

Cela dit, vous devez définir ce que sont les lumières hautes de la scène et donc quelle est leur importance. Peu de personnes chercheraient à saisir les détails dans le reflet du soleil sur une vitre de voiture, même si c'est réalisable à l'aide de techniques HDR. Vous pouvez aller plus loin en acceptant un voile lumineux sur la photo ou en utilisant un traitement high-key.

Un des outils utiles des appareils photo est l'alerte de lumière haute. Elle s'affiche sous la forme d'un élément clignotant noir et blanc et indique les zones brûlées qui ne peuvent pas être récupérées.

1-4 Les photos 1 et 2 de ces Soudanais sont très proches dans le temps mais utilisent des expositions différentes. La plus claire est surexposée d'un stop, comme le montrent les foulards blancs. En 3, il n'y a pas de coupure, puisque l'exposition est calculée pour les lumières hautes : en utilisant Auto dans Adobe Camera Raw, on s'aperçoit qu'il reste de la place pour augmenter la luminosité. La photo surexposée a été traitée avec Recovery dans ACR, pour essayer de récupérer les détails des lumières hautes, mais les foulards les plus clairs n'offraient aucun détail à récupérer.

20

Choisissez la clé

Comme en musique, la clé (key) est la gamme tonale de toute image. High-key (clé haute) signifie clair et low-key (clé basse) signifie sombre mais il y a de nombreuses variations. Même si dans la plupart des cas, vous n'avez pas le choix et vous devez vous accommoder de la gamme tonale qui se présente, il existe parfois certaines situations où vous pouvez choisir. En extérieur, il peut être nécessaire de revoir le sujet ou le cadrage. En studio, vous avez le contrôle de l'éclairage et, par analogie avec la musique, on peut dire que vous êtes le compositeur et choisissez la clé de votre composition.

La clé est moins utilisée qu'elle ne l'a été mais, pourtant, elle offre une possibilité supplémentaire pour la création. Avec les films, la low-key et la high-key permettaient de manipuler facilement les tonalités. Le traitement numérique donne plus de choix.

Pour travailler avec une clé précise vous procédez en deux étapes : la prise de vue et le traitement. Pour la prise de vue, il faut trouver le sujet qui se prête au traitement puis utiliser l'exposition correcte. Les scènes qui fonctionnent bien dans les extrêmes sont celles dont les tonalités se trouvent dans un même registre : les paysages, les portraits de peaux claires, type caucasiennes, pour la high-key ou les peaux sombres.

Pour l'exposition en low-key, il est important de conserver les lumières hautes (voir Astuce 19) afin de pouvoir assombrir les images sans perte de qualité. L'inverse n'est pas vrai puisqu'il y a un risque d'augmenter le bruit dans les ombres. Ici, l'utilitaire le plus important n'est pas l'alerte pour les lumières hautes mais l'histogramme, où la partie gauche de la courbe doit se trouver loin du bord gauche, vers le centre.

Il existe de nombreuses techniques pour créer une clé précise lors du traitement, mais ce n'est pas le sujet principal de cet ouvrage. La simplicité reste essentielle. Que vous utilisiez des curseurs, des courbes ou tout autre accessoire pour modifier la distribution tonale, prenez garde à l'arrière-plan et supprimez des éléments.

1 Des collines sombres qui entourent un lac écossais sous de gros nuages se prêtent bien à un traitement low-key. En fait, une exposition un peu plus moyenne et un traitement sont recommandés parce que la lumière est plate et qu'il y a peu d'éléments intéressants sur le terrain. Un traitement low-key sert pour les tons sombres et les textures.

2 Ces sables du Nouveau-Mexique sont blancs et se prêtent à un traitement bien exposé. La high-key nécessite une pleine lumière comme ici.

2

21

Traitement de bas niveau

Tous les appareils photo offrent des réglages qui permettent au processeur embarqué de traiter le contraste, la netteté, la balance des blancs et la saturation de l'image. L'idée est d'optimiser l'image suffisamment tôt pour qu'elle puisse être utilisée immédiatement après transfert, comme lorsque vous photographiez pour un journal. Dans le cas contraire, vous devez avoir conscience que ces réglages, lorsqu'ils sont appliqués afin d'améliorer la photo, font perdre des informations. L'augmentation du contraste et de la netteté détruit des pixels intermédiaires. Toutefois, ce n'est pas un problème sauf si la finesse des détails est importante et, dans ce cas, l'appareil photo n'est pas le plus adapté pour régler l'image.

Les possibilités du traitement embarqué s'améliorent d'année en année et l'on trouve maintenant certains types de tonemapping. Il s'agit d'un traitement de l'image qui permet de corriger les tons en fonction des régions voisines afin d'ouvrir les ombres et de réduire les lumières hautes sans modifier la luminosité globale de l'image. Même si cet outil est intéressant pour corriger une image lors de la prise de vue, les outils équivalents sont plus puissants sur l'ordinateur. C'est l'un de mes arguments pour préserver un maximum de pixels en choisissant le moins de paramètres.

1

Voici une autre recommandation lorsque vous n'utilisez pas le format Raw et qui s'applique selon vos besoins et votre appareil photo. Je pense que rares sont les cas où vous ne voulez pas prendre la photo au format Raw lorsque vous envisagez un posttraitement important. Encore une fois, si vous devez utiliser la photo immédiatement, ignorez ce dernier conseil et choisissez les réglages qui vous donnent les meilleurs résultats.

1-2 Une prise de vue et deux traitements qui peuvent être effectués sur l'appareil photo ou sur l'ordinateur. La version moins traitée contient plus d'informations tonales, ce qui permet d'augmenter le contraste en postproduction.

2

3 4

3-4 selon les modèles d'appareils photo, les paramètres offerts sont différents. Ici, le Nikon D3 offre des préréglages pour la netteté, le contraste, la luminosité, la saturation et la teinte. Il est aussi possible d'appliquer un tonemapping. Mais, même si ces fonctions sont remarquables, il est préférable de les utiliser par la suite sur l'ordinateur, en prenant son temps.

22

Une pointe de flash

Dans un environnement contrôlé, le flash, en plus de sa tâche courante consistant à éclairer les éléments, permet de créer une atmosphère. Mais, grâce aux avancées technologiques, on peut maintenant prendre des photos sans aide, dans des conditions de faible luminosité, et les flashs placés sur appareils photo trouvent peu d'usage. Toutefois, l'ajout d'une faible dose de lumière sur une photo éclairée par la clarté ambiante est assez simple en photo numérique. De plus, vous pouvez visualiser le résultat immédiatement et corriger si nécessaire.

Le manuel de votre flash indique comment le régler (il n'est pas possible d'indiquer ici ces réglages, étape par étape, d'autant que l'opération n'est pas très compliquée). L'idée est d'apporter une pointe de flash à une exposition normale, réglée par rapport à la luminosité de la scène. Il existe trois principaux cas pour lesquels cette technique est utile. D'abord en contre-jour, où il peut être utile d'avoir une lumière provenant de votre position. Ensuite, lorsque l'éclairage global est un peu triste ou fade, comme un jour très nuageux où il faut rehausser l'éclairage. Enfin, dans les cas où la lumière est très faible et que le temps d'exposition risque de provoquer un flou de mouvement ; le flash permet alors de figer l'instant à la fin de l'exposition. Ce mode est connu sous le nom de « synchronisation du flash sur le deuxième rideau » (ou rear-curtain).

De nombreux photographes considèrent que le flash détruit l'éclairage existant de la scène. Un ami photographe, Chien-Chi Chang, m'a un jour téléphoné alors que j'étais au milieu du golfe de Thaïlande sur un bateau de pêche pour me rappeler que Cartier-Bresson avait dit « Pas de flash ! » Je l'ai tout de même utilisé et voici le résultat.

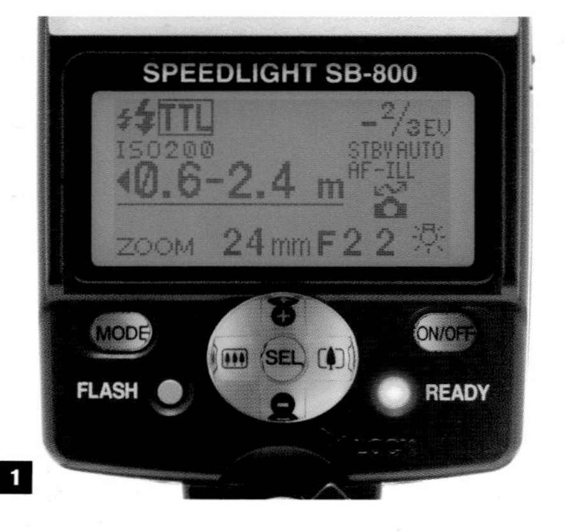

1 L'arrière de cette unité indique le niveau de flash dans le coin supérieur droit, ici 2/3 EV permet d'éviter que le flash domine sur la prise de vue.

2

2 Un pêcheur thaïlandais est prêt à jeter les filets par-dessus bord. Le flash permet de le rendre net et d'avoir une exposition lente (1/30) et une sensibilité de 400 ISO pour prendre le crépuscule de la scène.

3 Dans cette scène d'un marionnettiste birman, sans lumière du jour, le flash est inévitable pour rendre compte du mouvement. Avec une longue exposition, on conserve l'éclairage de la scène et les mouvements des marionnettes.

3

23

Solutions au contre-jour

1 **Lorsqu'il est possible de prendre le premier plan sous la forme de silhouette, il faut exposer de manière à faire ressortir les couleurs riches de la lumière.**

Le flash est l'une des solutions pour les scènes en contre-jour. Il en existe d'autres, entre autres, l'utiliser pour la composition plutôt que de la considérer comme un problème. Toutes ces techniques sont des variantes des cinq méthodes suivantes :

* Utilisez un réflecteur (ou un flash) à partir de la position de l'appareil photo pour éclairer le sujet au premier plan.
* Considérez le sujet en tant que silhouette et composez par rapport aux formes.
* Ignorez les lumières hautes, laissez-les créer un voile et exposez par rapport aux tons moyens au premier plan. Cette technique ne fonctionne pas toujours et dépend grandement de la manière dont l'arrière-plan clair domine.
* Ouvrez les ombres en posttraitement.
* Prenez une série d'expositions différentes et utilisez des techniques HDR ou d'assemblage (voir Astuce 77).

2 Ici, la pierre du temple et la porte modifient l'éclairage ; le soleil n'était pas visible. Il est intéressant de laisser exploser les rares lumières hautes, ce qui est facilité par le satin blanc du costume au premier plan.

3-4 Le posttraitement de ce film scanné sauve une grande quantité de détails grâce à l'outil Ton foncé/Ton clair de Photoshop.

5-6 Un coupon de tissu argenté, qui occupe peu de place une fois plié, permet d'éclairer les ombres pour cette photo de rochers peints de l'artiste Yukako Shibata.

24

Éclairage fiable pour les portraits

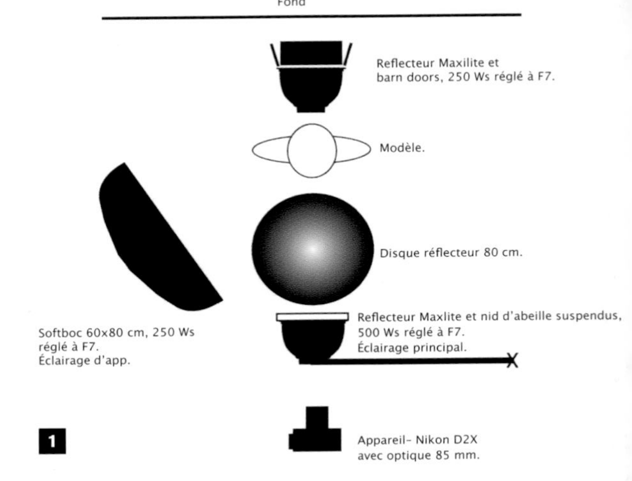

Il existe de nombreuses méthodes pour éclairer un portrait. La lumière forte directe provenant de l'éclairage du studio ou du soleil peut être désastreuse, de même que les lumières hautes de la texture de la peau (des rides comme des crevasses, des pores comme des petits cratères). Il est évident que toutes les personnes aiment être plus jolies sur une photo que dans la réalité.

Les professionnels spécialisés dans la photographie de mode utilisent une batterie d'accessoires d'éclairage ainsi que des techniques pointues pour créer un style parfaitement identifiable. En ce qui vous concerne, si vous devez faire des portraits occasionnels, voici quelques principes qui vous aideront à obtenir de bons résultats. Les trois points essentiels à retenir sont les suivants : avoir une lumière principale frontale, avoir des ombres douces et remplir les ombres.

* Utilisez un flash de studio pour un meilleur contrôle.
* Diffusez la lumière principale au-dessus et proche de l'appareil photo pour éviter les ombres * dures.
* Les réflecteurs peuvent s'utiliser pour remplir les ombres et économiser de l'argent.
* Les éclairages multiples sont la marque des photographes de mode.
* Placez un réflecteur près du visage pour remplir les ombres du menton et du nez. Une feuille d'aluminium de cuisine peut servir en dépannage.
* Un éclairage secondaire placé derrière et qui éclaire la chevelure permet de définir le sujet.
* Une petite lumière brute près de l'appareil photo permet de placer un reflet dans le regard.

1&4 Une lumière frontale douce permet de créer de légers reflets sur les surfaces frontales du visage et adoucit la transition vers les ombres. Un réflecteur sous le visage permet de réduire l'ombre du menton alors que l'arrière-plan est éclairé séparément.

2 De larges diffuseurs sont efficaces. Une autre technique qui n'est pas montrée consiste à placer un filet devant la lampe centrale plutôt qu'un linge.

3 Des réflecteurs pliables en tissu existent avec différentes finitions : argentés, dorés ou blancs.

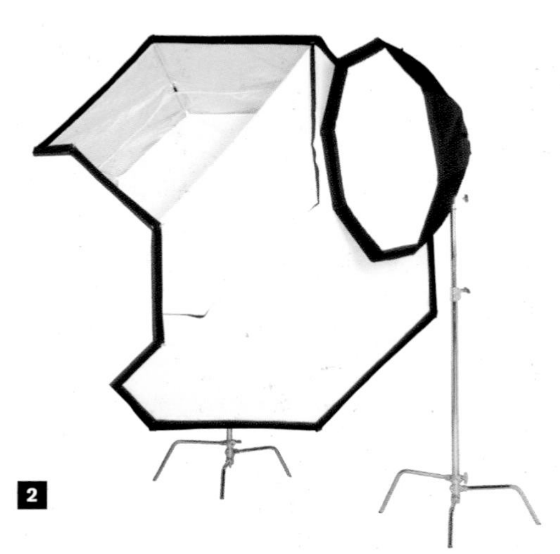

2

3

25

Éclairage fiable pour les produits

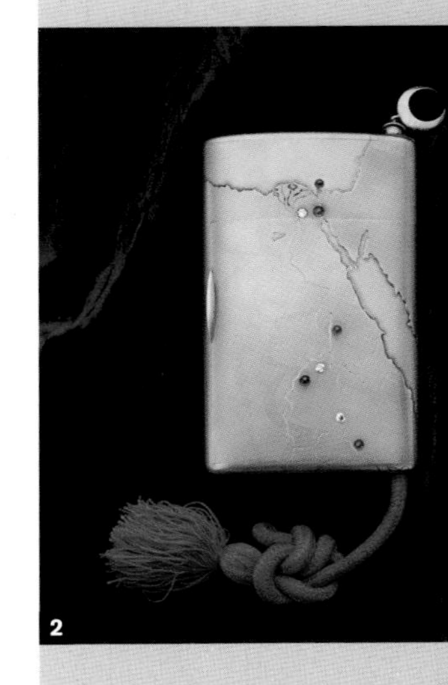

Comme pour l'éclairage des portraits, il existe autant de styles que de photographes, mais une technique de base permet d'obtenir un résultat efficace et plaisant. Il s'agit d'une lumière enveloppante et légèrement dirigée. Les ombres sont alors légères et minimes, et les surfaces brillantes des objets semblent douces parce qu'elles reflètent une large source de lumière et non pas plusieurs petites.

Pour obtenir ce résultat, même si cela est difficile à installer, le plus simple consiste à entourer l'objet de matériaux diffusant une lumière principale placée en hauteur et, dans l'idéal, secondée par d'autres lumières. Je recommande de placer une lumière secondaire qui diffuse par-dessous, un peu comme une table lumineuse, cela donne un aspect professionnel à la photo.

* Utilisez un éclairage de studio pour un contrôle total (et un flash pour plus de précision).
* Utilisez un diffuseur sur la lampe ou une tente qui se place autour de l'objet.
* Vous pouvez utiliser du Plexiglas opaque, du tissu blanc ou du papier-calque.
* Utilisez une lumière principale diffusée sur l'objet, soit directement par le dessus, soit de trois quarts.
* Utilisez des lumières diffusées secondaires sur les côtés.
* Placez l'objet sur une base qui diffuse la lumière du dessous.
* Si vous avez assez de lumières, éclairez l'arrière séparément.

1 Une utilisation de la table lumineuse avec niveau élevé de lumière sur un panier ikebana japonais.

2 Les surfaces réfléchissantes comme ce porte-cigarettes Fabergé répondent bien à la diffusion de la lumière.

3-4 Une tente à lumière dont la forme est donnée par des arceaux. Placée ici sur une table lumineuse, elle a besoin d'une seule lampe pour la diffusion. Le panneau avant se ferme et un zip permet de laisser passer l'appareil photo tout en permettant une diffusion totale autour de l'objet.

5 Une table lumineuse utilisée avec un matériau diffuseur permet d'étaler la lumière provenant du bas.

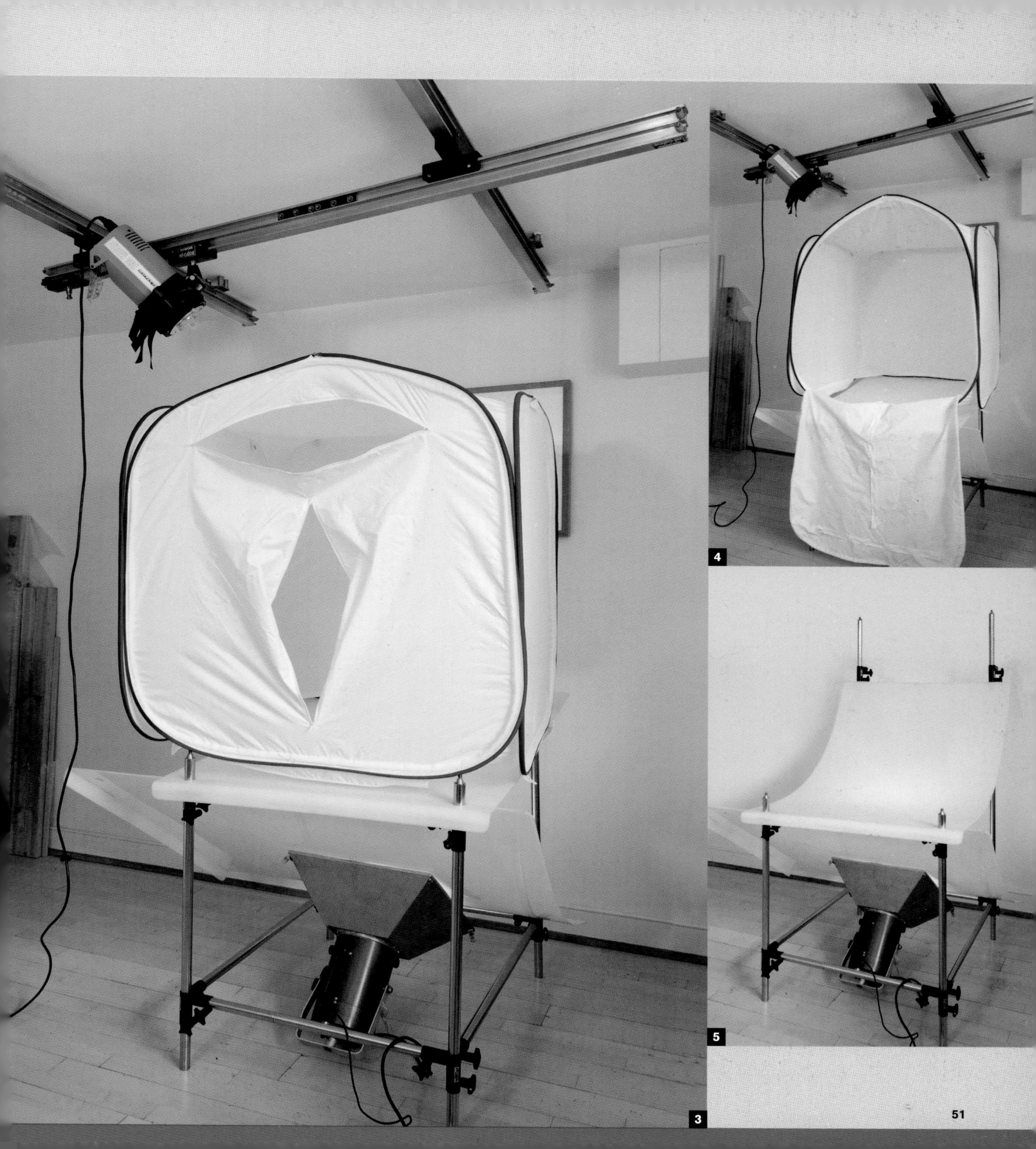
3
4
5

Chapitre_ 03

Couleur

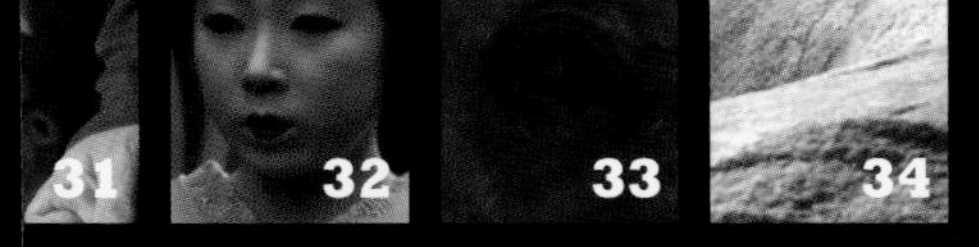

26

Balance des blancs

Régler la balance des blancs en numérique signifie qu'on règle les couleurs afin d'obtenir un éclairage qui semble « normal ». Si cette opération semble surprenante pour de nombreuses personnes, c'est parce que nos yeux s'adaptent assez bien aux couleurs en fonction de l'éclairage du jour, d'une lampe incandescente ou fluorescente. Toutefois, il existe de réelles différences et le capteur de l'appareil photo les enregistre.

Il n'est pas nécessaire d'étudier la température de couleur des lampes artificielles. Ce qui est important, c'est de savoir si la lumière s'éloigne du blanc et, dans ce cas, dans quelle direction. Le blanc est considéré comme normal parce que c'est ainsi que notre vision s'est développée. La référence du blanc est la lumière à la mi-journée. Le menu de la balance des blancs de l'appareil photo offre différentes options permettant de faire en sorte que la lumière soit blanche en fonction de différents types d'éclairage, d'où le nom. La méthode la plus courante consiste à sélectionner un type d'éclairage dans une liste mais il en existe une autre que nous présenterons rapidement.

La lumière blanche est belle, mais il est aussi possible de surcorriger, parce que la balance des blancs qui vous convient est celle dont vous aimez l'aspect. De plus, il peut être intéressant de conserver une couleur diffuse sur une photo : pensez à une scène de fin d'après-midi baignée d'une lumière dorée. Si vous aimez cette couleur, rien ne vous oblige à la supprimer. Si vous préférez un rendu blanc, utilisez la balance des blancs. Toutefois, gardez à l'esprit qu'il est possible de corriger ces couleurs, par la suite, sur l'ordinateur, avec une légère perte de qualité. Il est également intéressant d'utiliser le format Raw qui sépare les réglages de couleur, ce qui signifie que vous pouvez choisir la balance des blancs par la suite, sans perte de qualité. Si vous utilisez ce format, peu importe la balance des blancs sélectionnée sur l'appareil photo. Personnellement, j'opte toujours pour le mode automatique.

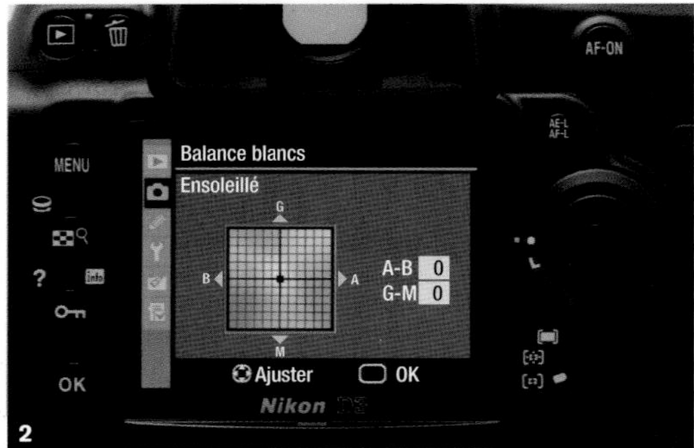

1-2 Un menu de balance des blancs offre de tels choix qui peuvent ensuite être affinés par le contrôle de la teinte.

3-5 Les choix de la balance des blancs parlent d'eux-mêmes, mais le goût personnel entre toujours en ligne de compte. Les différences de température de couleurs entre la lumière du soleil, les nuages et les ombres, se voient nettement dans les trois versions de la scène.

6-7 Effectuer la balance pour un éclairage fluorescent est un peu plus difficile qu'avec les autres lumières car sa variation en température de couleur ou de teinte est imprévisible. Il est intéressant de tester le mode automatique.

4

5

6

7

* Balance des blancs avec l'appareil photo

La balance des blancs est facile à sélectionner et à régler sur l'appareil photo parce que toutes les informations de couleurs proviennent d'un filtre placé devant le capteur et non pas du capteur lui-même, ce dernier mesurant uniquement la quantité de lumière. La grille de Bayer est constituée d'éléments rouges, verts et bleus, qui donnent les informations sur la couleur. Comme cette opération s'effectue pixel par pixel, il est très simple de modifier l'information. Pour faciliter la tâche aux utilisateurs, les appareils photo offrent des jeux de réglages prédéfinis :

* lumière de soleil (ou lumière du jour) ;
* nuageux (un peu plus bleu qu'avec le soleil et l'appareil photo corrige cela) ;
* ombragé (des ombres avec un ciel bleu, donc bien plus bleu qu'à la lumière du soleil) ;
* incandescent (orange et l'appareil photo le corrige) ;
* fluorescent (variable mais souvent vert) ;
* auto (l'appareil photo fait son possible pour éviter une teinte globale).

La plupart des appareils photo permettent d'affiner les valeurs de chaque préréglage.

27

Recherchez du gris

Comme nous l'avons vu, selon les sujets et vos besoins, parfois la balance des blancs est essentielle et, parfois, elle n'est pas indispensable. Si la précision des couleurs est importante, vous disposez d'au moins deux moyens pour l'obtenir : utiliser une couleur cible et configurer une balance des blancs personnalisée. Lorsque vous devez prendre la photo rapidement et que vous avez peu de temps, recherchez une zone de la scène qui doit être d'un ton gris neutre. Conservez en mémoire cette référence afin de pouvoir l'utiliser en posttraitement.

Il est possible d'utiliser cette technique avec les formats JPEG ou TIFF mais, bien entendu, cela fonctionne mieux si vous utilisez le format Raw, puisqu'il permet d'effectuer la balance des blancs par la suite. Tous les programmes de retouche d'image, de Photoshop au plus simple, offrent un outil qui permet d'ajuster les couleurs de la totalité de l'image en fonction d'un point que vous désignez comme neutre.

Les images ne possèdent pas toutes un point neutre, par exemple, un coucher de soleil. Mais, dans ce cas, elles n'ont souvent pas de problème de couleur. De plus, prenez garde à la surcorrection des scènes dans lesquelles la couleur de la lumière participe à l'image, par exemple un paysage éclairé par un soleil bas ou un intérieur la nuit pour lequel vous souhaitez des couleurs chaudes.

Pour les scènes les plus courantes, les éléments suivants sont potentiellement des points gris de référence : béton, métal, aluminium, jantes de voiture, nuages fins et ombres sur du blanc (comme dans le pli d'un tee-shirt ou sur un mur, mais il existe un risque d'utiliser un reflet coloré). Si votre photo ne contient pas l'un de ces éléments, recherchez un point gris et gardez-le en mémoire.

1 La route, le goudron et les trottoirs sont utiles même s'ils ne sont pas neutres, ils peuvent servir de référence.

* Point gris, carte grise

Vous pouvez toujours prendre votre propre gris pour régler la balance des blancs. Il est utile de posséder une carte grise standard au moins pour des séances de photos planifiées. Elle permet de donner une référence standard pour le ton neutre mais aussi pour les tons moyens. Même s'il est intéressant de faire une photo test avec une carte grise, vous pouvez obtenir de meilleurs résultats avec une cible colorée (voir Astuce 28).

2 La peinture a tendance à être neutre, mais avec la pipette « point gris », il est préférable de sélectionner une ombre. Il y a des risques que la couleur soit influencée par la lumière du ciel mais vous pouvez le gérer visuellement.

3 Il y a plus d'ombre sur le blanc mais aussi plus de variations de teinte du blanc à cause de la lumière du soleil. La solution ici est d'utiliser le blanc du tissu et de modifier les canaux de couleurs.

4 Les nuages gris peuvent servir de point de référence. Il est souhaitable de les utiliser comme point de départ puis de modifier les couleurs manuellement en posttraitement.

28

Cible colorée pour la précision

La vie serait simple s'il était possible d'aligner toutes les couleurs à partir du gris. Mais comme vous l'avez peut-être découvert en testant les conseils des pages précédentes, cela ne fonctionne pas toujours. Certaines couleurs peuvent ne pas être comme vous le souhaitez, surtout lorsque la correction est importante.

De plus, un autre problème apparaît. Parfois, deux couleurs sont identiques sous une lumière mais différentes avec une autre source de lumière et, en photo, c'est souvent le cas avec les éclairages fluorescents. Cela signifie que, lorsque vous réglez la balance des blancs, les couleurs n'apparaissent pas comme vous le pensez.

La solution, qui demande un peu de temps, permet d'obtenir des couleurs précises lorsque cela est nécessaire, par exemple lorsque vous prenez en photo des intérieurs, des peintures ou des tissus. En utilisant la même lumière que celle de la photo, vous prenez un cliché d'une cible colorée, par exemple ColorChecker de GretagMacbeth qui propose des nuanciers colorés. Vous les photographiez avec une exposition moyenne. Dans l'idéal, le carré blanc doit être photographié à une valeur de 245 sur l'échelle de 0-255 et le carré noir à environ 50.

Par la suite, vous créez un profil de ces conditions lumineuses à l'aide de votre logiciel. S'il n'est pas possible de détailler les étapes ici, sachez qu'il s'agit d'ouvrir l'image, de faire correspondre la cible avec une grille et d'enregistrer ce profil afin de pouvoir l'appliquer à toutes les images créées dans les mêmes conditions. Le logiciel utilisé ici est inCamera, une extension pour Photoshop.

Attention, la cible colorée fonctionne bien si toute la scène est éclairée par la même lumière. Il existe de nombreuses raisons, pas toujours visibles à l'œil nu, qui font qu'une scène peut être éclairée différemment. Par exemple, un côté de la pièce peut être éclairé par la lumière d'une fenêtre et l'autre côté par une lumière artificielle. Votre œil peut gérer les deux sources et voir une légère différence mais le capteur de l'appareil photo voit la différence qui est de l'ordre de 6 000 K.

1-2 Il existe deux cibles standard conçues par GretagMacbeth, l'originale avec 24 cases et une nouvelle pour la photo numérique.

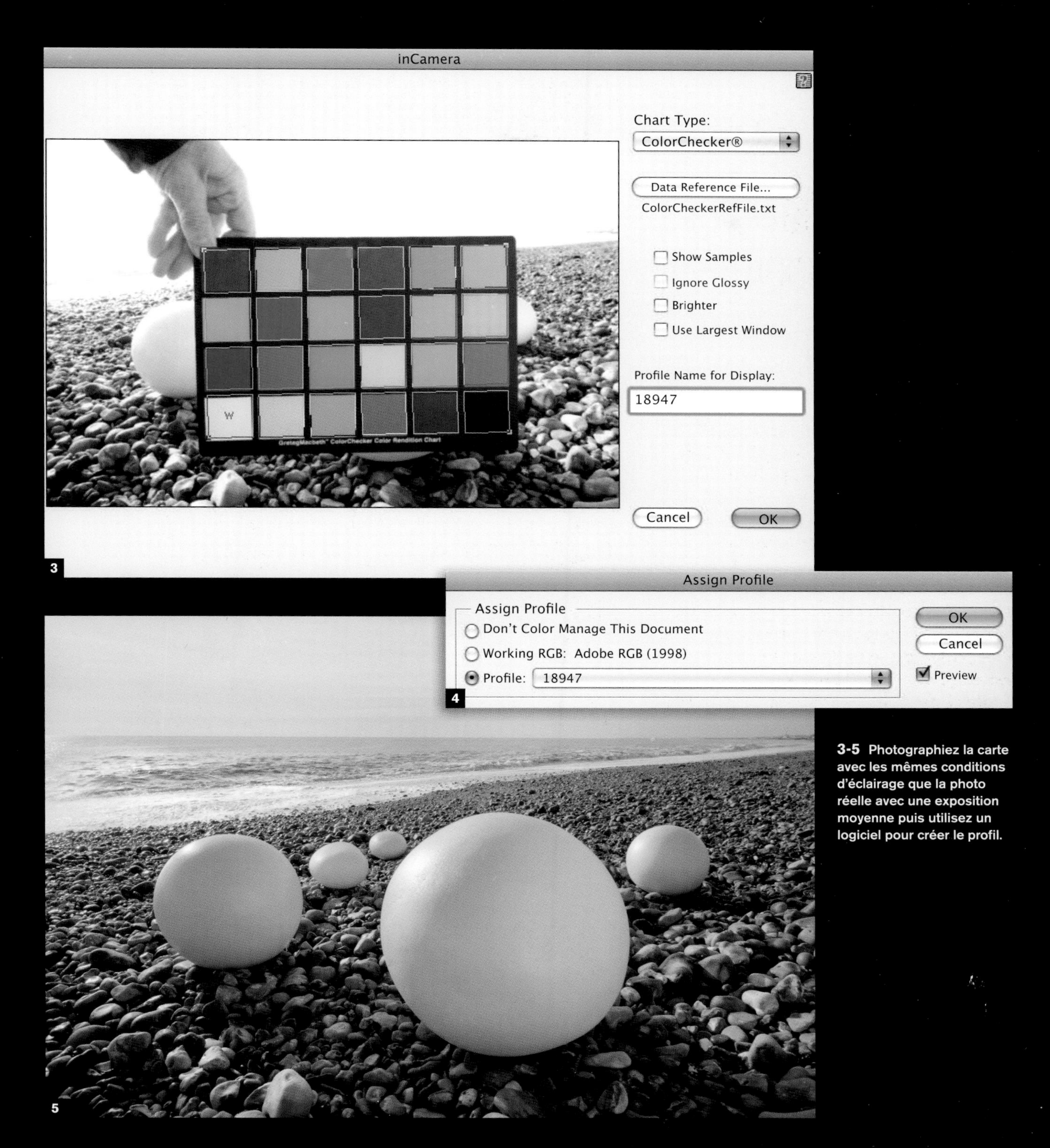

3-5 Photographiez la carte avec les mêmes conditions d'éclairage que la photo réelle avec une exposition moyenne puis utilisez un logiciel pour créer le profil.

29

Balance des blancs personnalisée

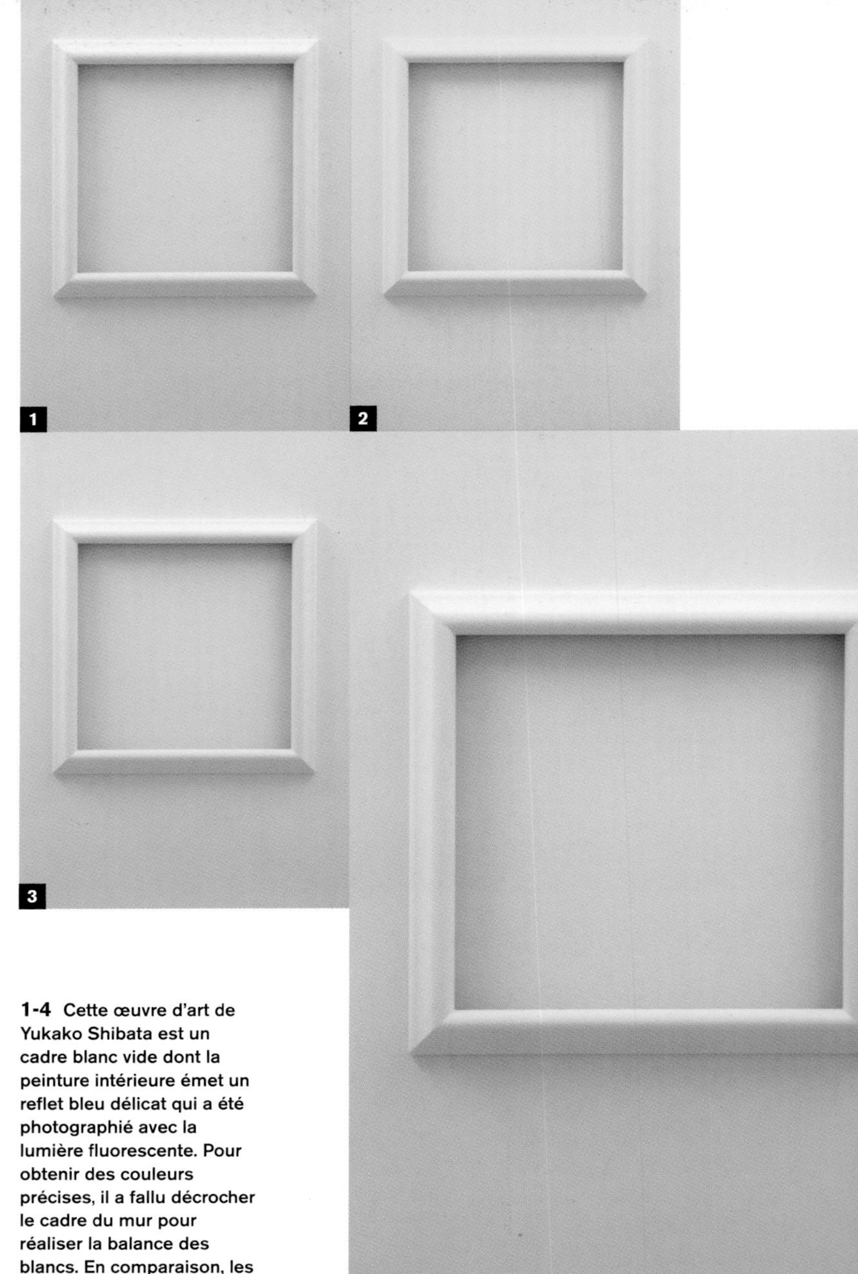

Avec la plupart des reflex, il est possible de personnaliser la balance des blancs en utilisant l'appareil photo pour mesurer la couleur d'une surface blanche dans les mêmes conditions d'éclairage. Lorsqu'une surface blanche est disponible comme dans l'exemple ici, il s'agit d'une méthode précise. Les surfaces blanches se trouvent dans de nombreuses situations : du tissu ou du papier. Vous pouvez utiliser une carte grise (voir Astuce 27) mais si vous transportez une cible, un nuancier est préférable.

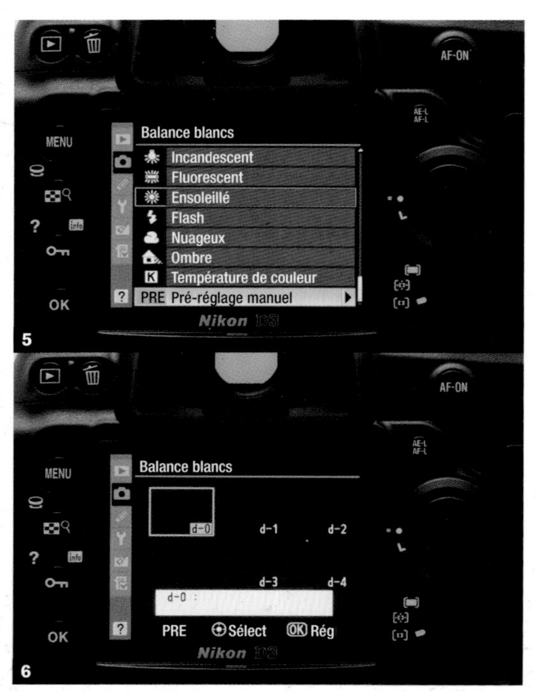

1-4 Cette œuvre d'art de Yukako Shibata est un cadre blanc vide dont la peinture intérieure émet un reflet bleu délicat qui a été photographié avec la lumière fluorescente. Pour obtenir des couleurs précises, il a fallu décrocher le cadre du mur pour réaliser la balance des blancs. En comparaison, les préréglages Auto, Lumière du jour et Fluorescent montrent des différences énormes.

5-6 L'option Pré-réglage manuel du Nikon. La balance des blancs est calculée en fonction de votre prise de vue (mur ou papier blanc) et les données sont enregistrées pour être réutilisées ultérieurement.

30

Vérifiez sur un portable

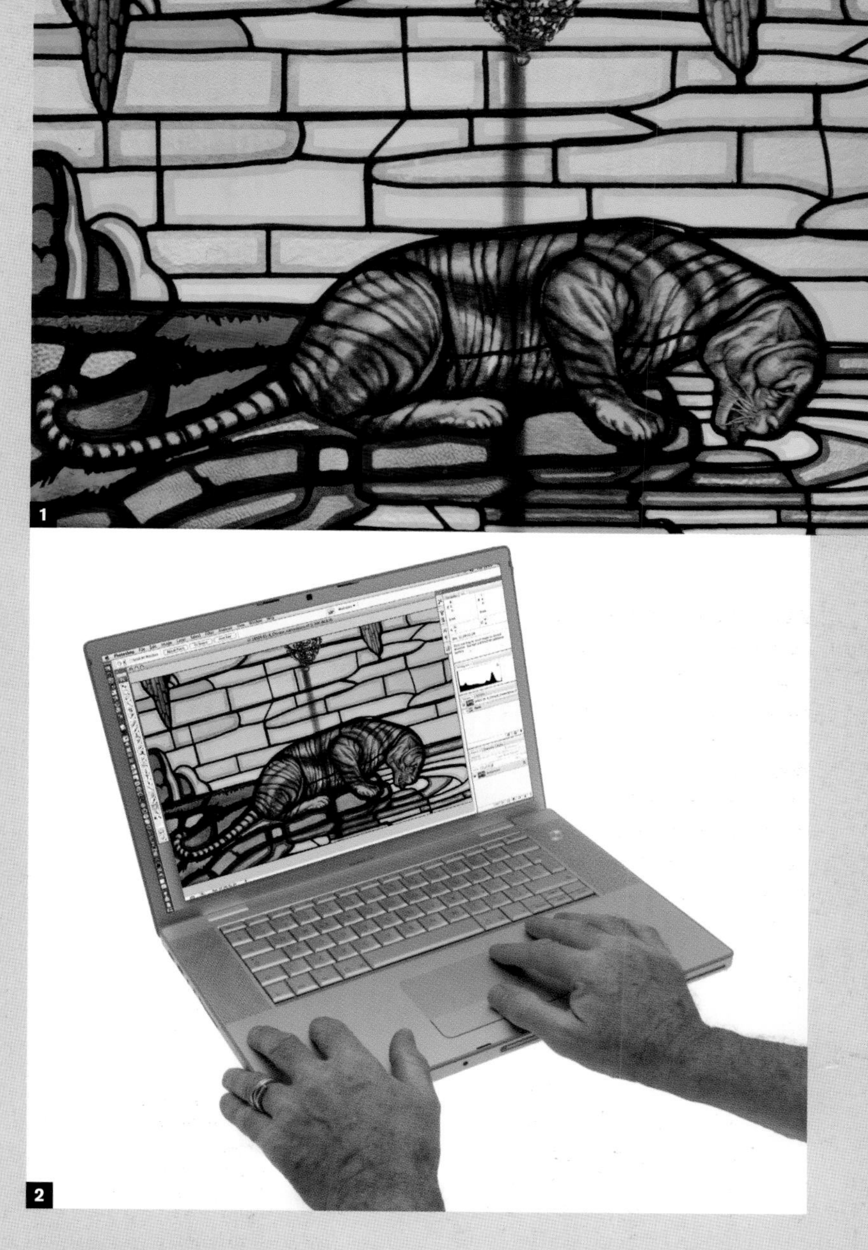

Il est parfois utile de regarder les images sur un écran d'une taille décente et dont les couleurs sont correctement calibrées, immédiatement après avoir effectué la prise de vue, afin de les comparer avec la scène. Il s'agit surtout de pouvoir juger les couleurs sur le lieu, puisque les écrans LCD des appareils photo ne sont pas aussi fins qu'un écran correctement calibré.

Pour la photo en général, la couleur n'est pas essentielle. Si vous travaillez en studio avec une lumière spécifique, votre appareil photo est sans doute relié à un ordinateur. Toutefois, certaines photos en extérieur nécessitent une précision de la couleur, par exemple, ici, un vitrail avec des couleurs fortes. Même si la source lumineuse était parfaitement connue, dans ce cas une journée nuageuse proche de 6 500 K, les pigments des différentes surfaces pouvaient ne pas être enregistrés exactement comme on les voyait. Avec la balance des blancs réglée pour le temps nuageux, le résultat n'était pas correct pour certaines couleurs. Le tigre était plus rouge que marron et les bandes vertes étaient trop jaunes. Comme le cliché était au format Raw, il ne fut pas nécessaire de le refaire et il a suffi d'appliquer une correspondance visuelle lors du traitement avec le convertisseur Raw (ici, DxO Optics Pro).

Bien entendu, pour cela il faut un écran parfaitement calibré. Il existe plusieurs méthodes pour y parvenir. La qualité des écrans varie et de nombreux portables ont un angle de vision limité. Vous devez comparer les résultats avec ce qu'affiche un écran de bureau pour savoir si vous pouvez vous fier à l'écran de votre portable.

1-2 Il est difficile d'étalonner les couleurs du vitrail à l'aide des méthodes habituelles. En comparant la photo avec le sujet, on parvient à obtenir le résultat souhaité.

31

Impact du contraste coloré

En photo numérique, la couleur ne se limite pas à régler correctement la balance des blancs. Comme pour la composition (Voir Chapitre 5), le choix des couleurs d'une image peut être créatif, surprenant et élégant. Les couleurs peuvent être un élément essentiel du succès de la photographie : leur choix peut conduire à une image banale et sans intérêt. Il est vrai que certaines couleurs complémentaires, comme le bleu et l'orange, donnent une impression d'harmonie mais c'est aussi prévisible, et l'équilibre n'est pas la finalité de la photo. La dissonance peut être plus efficace.

Un contraste entre deux ou trois couleurs fortes et saturées permet d'attirer l'attention. Il faut trouver la bonne combinaison par rapport à la lumière. Une lumière forte avec des ombres nettes améliore la perception de la vie comme le montrent ces deux exemples pris un jour clair, sous une lumière naturelle moyennement faible. Inutile de dire que les relations harmonieuses ou dissonantes entre les couleurs sont renforcées lorsque les couleurs sont aussi intenses. Par contre, vous perdez en subtilité, ce qui est le sujet de la page suivante.

1 Une boîte aux lettres parisienne. Un sujet statique comme celui-ci vous permet de cadrer comme vous le souhaitez et d'affiner les proportions et la position des couleurs.

2 Le jour des enfants au Japon est l'occasion de sortir les plus beaux kimonos. Le rouge sur le vert est la combinaison de base classique.

32

2 Une élève geisha qui marche dans une rue de Kyoto. Les couleurs sont identiques à celles de l'autre image mais avec des proportions différentes.

Subtilité d'une palette réduite

Les couleurs fortes trouvent leur place en photo mais c'est aussi le cas pour les pastels. Il faut également rechercher une combinaison de deux ou trois couleurs qui contrastent : des scènes comme celles-ci fonctionnent parce qu'elles évitent les couleurs primaires et utilisent une luminosité moins forte et moins de saturation que celles de la page précédente. Cependant, une trop grande perte de saturation crée des couleurs ternes alors que les tons pastel doivent rester purs.

L'avantage des couleurs douces, c'est qu'elles permettent une lecture plus lente de l'image. Elles sont souvent plus intéressantes parce qu'elles sont moins familières que les couleurs primaires ou secondaires et donnent l'occasion d'étudier les relations. Afin de mieux apprécier les subtilités, le lecteur prend son temps et comme l'image attire l'attention plus longtemps, l'effet peut être plus gratifiant.

1 L'Art nouveau sur la façade d'un vieux café de Paris forme une relation entre des couleurs délicates agrémentées d'une réflexion de la lumière.

33

Couleur unique

Nous sommes tous habitués au concept de la couleur qui se diffuse sur l'image et des différentes techniques pour gérer le problème. On peut régler la balance des blancs ou effectuer un travail de postproduction. Toutefois, même si une tonalité unique peut être déroutante et laisse penser qu'il y a un problème avec les couleurs, dans certains cas elle donne de la force à l'image en unifiant les éléments. Il peut y avoir une certaine surprise lorsqu'on découvre et qu'on cadre une vue dominée par une seule couleur. C'était le cas avec cette mante religieuse sur des pousses de riz.

De plus, lorsque vous organisez des images, par exemple pour une page Web, une page imprimée ou le mur d'une galerie, des thèmes de couleurs peuvent créer des combinaisons intéressantes. Si vous possédez des jeux d'images, chacune dominée par une seule tonalité, les réunir est une autre forme d'expression artistique de la couleur.

1 **Le vert des pousses de riz se diffuse sur l'image et s'ajoute à la couleur de la mante religieuse.**

2 **Le bleu qui se diffuse correspond à la température de couleur du ciel du soir reflété par la neige. Il peut être tentant de corriger cette couleur en la neutralisant mais cela supprimerait le crépuscule et la sensation de froid.**

1

2

34

Prévoyez le noir et blanc

La photo numérique donne une nouvelle vie au noir et blanc grâce, en particulier, à la manière dont on peut contrôler les couleurs qui deviennent des tons de gris. La manière de penser en noir et blanc est différente de celle utilisée pour la couleur. En supprimant les teintes, on donne plus d'importantes aux tonalités. Les éléments non colorés de l'image, tout particulièrement les formes, les bords ou les textures revêtent une nouvelle importance. La longue tradition du noir et blanc dans l'histoire de la photographie laisse un héritage dont de nombreux photographes se satisfont. Les puristes du numérique indiquent que les capteurs prennent des images monochromes et que la couleur est ajoutée à l'aide de la grille de Bayer, le noir et blanc est la forme originelle de l'image.

Certains appareils photo proposent un mode noir et blanc (ou monochrome). Les canaux RVB restent mais ils ne sont pas saturés et peuvent être récupérés avec le format Raw. Cela permet de voir plus facilement le travail en noir et blanc au moment de la prise de vue. Certains modèles proposent également l'équivalent des tons sépia.

Le posttraitement de la conversion d'un fichier en couleur en fichier monochrome permet un contrôle fin que n'ont jamais pu obtenir les utilisateurs de chambre noire pour papier. Tous les programmes de retouche d'image de Photoshop à DxO Optics Pro offrent des méthodes de conversion qui permettent la manipulation des canaux. Ici, vous voyez la boîte de dialogue d'une conversion en noir et blanc avec Photoshop. Un menu permet de sélectionner des préréglages.

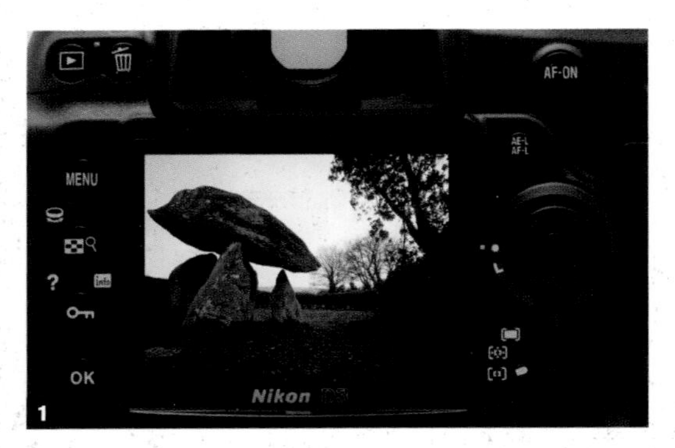

1 De nombreux reflex permettent de photographier en noir et blanc. En utilisant le format Raw, si nécessaire, vous pouvez revenir en couleurs.

3

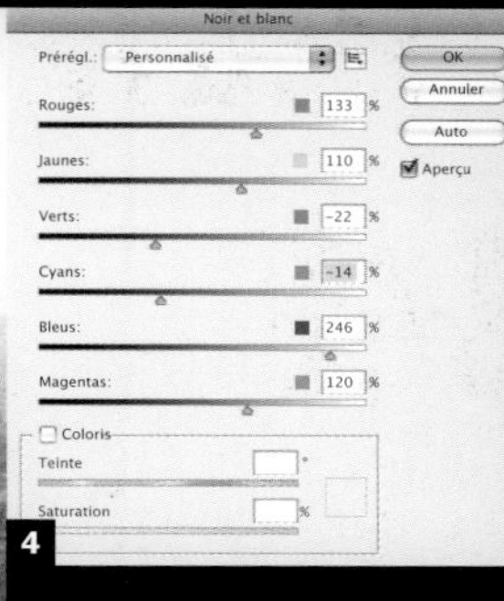

4

5

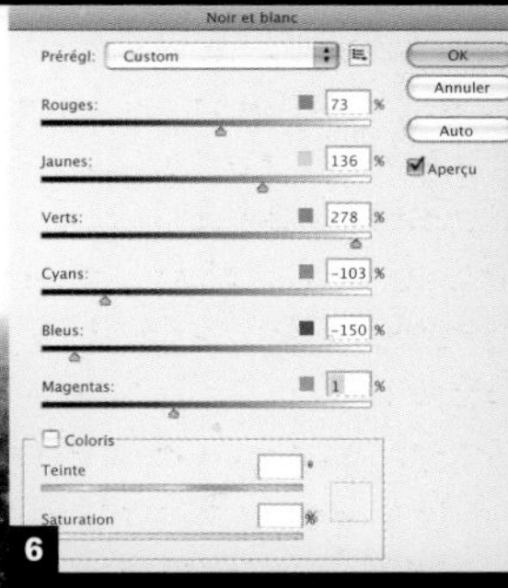

6

2-6 Une image en couleurs scannée et deux interprétations possibles grâce à six curseurs. Dans l'une, le but est d'augmenter l'effet de distance en intervenant sur le bleu et le vert. Dans l'autre, la profondeur est réduite en augmentant le vert et en réduisant le bleu et le cyan. Dans les deux cas, le rouge va de modéré à élevé.

Chapitre_ 04

Techniques

35

Personnalisez vos paramètres

Chaque nouveau modèle de reflex possède de nouvelles fonctionnalités et cela se traduit par plus de choix dans la manière de régler, entre autres, les modes de mise au point, de mesure de l'exposition ou les couleurs. En photographie, où l'essentiel est de photographier et non pas de bricoler (voir la première astuce), trop de choix peut être déconcentrant.

En ce qui concerne la mise au point, il existe de nombreuses techniques sophistiquées comme la détection de scène (l'appareil photo distingue la tête et les épaules d'une personne et fait la mise au point) ou le servo-focus, qui permet de suivre le sujet sur lequel l'appareil photo a été réglé. Si vous êtes un photographe sportif, c'est un élément très intéressant, en revanche, si vous préférez les paysages, vous n'en avez pas besoin.

Pour pouvoir utiliser les fonctionnalités qui vous intéressent tout en laissant de côté les autres, personnalisez les paramètres. La procédure pour réaliser cette opération varie d'un fabricant à l'autre, mais, généralement, vous devez placer les paramètres que vous utilisez le plus dans une bibliothèque de paramètres. Cela vous évite de parcourir des menus et des sous-menus.

1 **Une bibliothèque de paramètres personnalisés où vous stockez ceux qui sont importants afin d'y accéder rapidement.**

36

Contrôlez la poussière

Les ombres dues aux poussières ou aux autres particules qui se placent sur le capteur (ou sur le filtre qui couvre le capteur) restent un problème constant avec les reflex numériques. Il est pratiquement impossible d'éviter la poussière si vous changez d'objectif dans tout autre environnement qu'un studio. Des solutions techniques comme les ultrasons ou des filtres vibrants permettent d'agiter les particules. Mais, dans tous les cas, il est essentiel que vérifier l'absence de poussière. La méthode la plus simple consiste à examiner l'image à un facteur d'agrandissement de 100 %. Pour cela, procédez comme suit.

Utilisez l'objectif avec la plus petite longueur de focale que vous possédez ou sélectionnez la plus petite valeur sur le zoom. Réglez la plus petite ouverture et faites la mise au point manuellement en sélectionnant la valeur correspondant au plus proche puis visez n'importe quelle zone blanche ou de ton moyen. Exposez automatiquement ou choisissez une image un peu plus claire que la moyenne. Tout cela permet de mettre en évidence les éventuelles poussières.

Ensuite, affichez l'image sur l'écran LCD à un facteur d'agrandissement de 100 %. Commencez par le coin supérieur gauche et faites défiler vers la droite, puis descendez et revenez vers la gauche. Répétez le défilement jusqu'à ce que vous ayez examiné la totalité de l'image. N'importe quelle poussière significative s'affiche sous la forme d'un point sombre. L'étape suivante consiste à nettoyer le capteur (voir Astuce 37), ou à vous préparer à supprimer les poussières en postproduction. Certains appareils photo permettent de créer un modèle de poussière qui automatise la suppression.

*** Conditions qui mettent la poussière en évidence**

Petite ouverture
Réduisez l'ouverture pour augmenter la profondeur de champ, afin de faire ressortir les grains de poussière.

Grand-angle
Une longueur de focale courte augmente la profondeur de champ ce qui rend les grains de poussière plus nets.

Tons moyens uniformes
Les scènes avec peu de détails, comme les ciels, soulignent les ombres des poussières. À l'inverse, les zones très détaillées d'une image masquent suffisamment les poussières pour qu'il ne soit pas nécessaire de les retirer.

Zones floues
Les zones floues créent une zone uniforme qui fait également ressortir les poussières. Toutefois, ces zones sont plus courantes avec les grandes longueurs de focales et la profondeur de champ réduite.

1 Suivez la procédure indiquée dans le texte pour rechercher les poussières sur une image uniforme agrandie à 100 %.

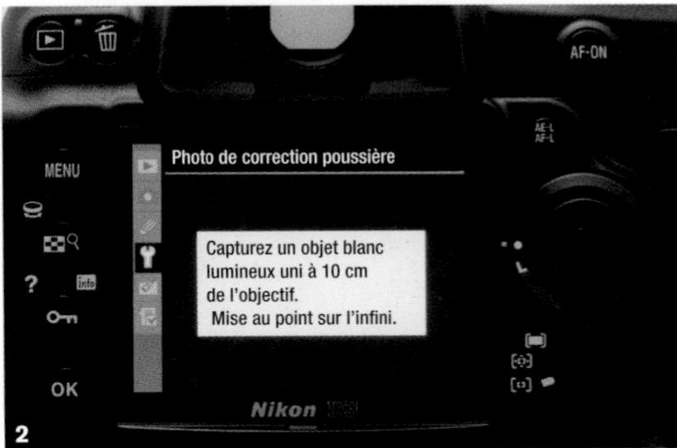

2 Certains appareils photo permettent de créer un modèle qui s'utilise ensuite avec un logiciel pour retirer la poussière des images.

37

Nettoyez votre capteur

Auparavant, on conseillait d'éviter de nettoyer soi-même les capteurs à cause du risque de rayer la surface du filtre passe-bas. Cela était raisonnable à l'époque où les fabricants proposaient de faire l'opération gratuitement. Or, maintenant, le service coûte assez cher, donc nettoyer soi-même les capteurs devient plus ou moins une nécessité, d'autant que l'on trouve des kits de nettoyage sur le marché. Les constructeurs d'appareils photo continuent de le déconseiller, mais c'est pour se protéger.

Le problème lors du nettoyage, c'est qu'il faut éviter de toucher la surface du filtre. Le plus simple consiste à utiliser un souffleur pour envoyer de l'air sans toucher la surface avec l'extrémité du tube, afin d'éviter tout dommage. Toutefois, en envoyant de l'air dans l'appareil photo, on se contente de déplacer la poussière au lieu de la retirer. Par conséquent, si elle ne se trouve plus sur le capteur, il y a des risques qu'elle se trouve toujours dans le boîtier et qu'elle finisse par se replacer sur le filtre. Suivez les instructions données par le fabricant pour accéder au capteur – il est généralement nécessaire de retirer l'objectif et de relever le miroir. Placez-vous dans un lieu sec, sans poussière et sans courant d'air, puis installez-vous confortablement, par exemple sur un bureau, l'appareil photo face à vous afin que vous puissiez voir le capteur. Une lumière concentrée est essentielle et même si, généralement, on utilise une lampe de poche (les éclairages à LED conviennent), une source de lumière fixe est plus pratique puisqu'elle ne nécessite pas de la tenir d'une main. Lorsque vous avez une bonne vue sur le capteur, déplacez la lumière ou l'appareil photo d'un côté à l'autre afin que la lumière se reflète sur la surface du capteur. Utilisez le souffleur et regardez où part la poussière. Attention de ne jamais souffler avec la bouche, les éventuelles gouttes de salive demanderaient un nettoyage plus important.

1-2 Suivez les instructions du menu pour verrouiller le miroir. Les batteries doivent être correctement chargées, sinon branchez l'appareil photo au secteur.

✱ Ce qui est nécessaire :

1. Un espace dégagé et sans poussière.
2. Une source lumineuse puissante et concentrée, une lampe de poche à LED ou une lampe de bureau avec un faisceau resserré.
3. Une bonne vision de près et si nécessaire une paire de lunettes de lecture ou des loupes.
4. Les accessoires éventuellement recommandés par le fabricant de l'appareil photo, par exemple, une alimentation électrique externe. Consultez le manuel.
5. Méthode de base : un souffleur.
6. Méthode avancée : un kit de nettoyage avec un aspirateur et des lingettes humides.

Si vous nettoyez le capteur parce que vous venez d'effectuer un contrôle de la poussière, recherchez les ombres correspondantes. N'oubliez pas que l'image est inversée : gauche à droite et haut en bas. Par conséquent, un grain que poussière que vous avez aperçu dans le coin supérieur gauche d'une image récente se trouve dans le coin inférieur droit du capteur lorsque vous regardez dans l'appareil photo.

Une autre technique de nettoyage non invasive (sans toucher le filtre) consiste à utiliser un petit aspirateur. Certains kits de nettoyage offrent un tel aspirateur actionné à l'aide d'une bombe d'air comprimé. Vous devez être plus précautionneux qu'avec un souffleur parce que l'aspiration n'est pas aussi puissante et l'embout doit être tenu très près du capteur.

Il est nécessaire de nettoyer physiquement les poussières qui résistent à ces deux premières méthodes. N'employez pas de petite brosse parce que, à moins qu'elle ne soit parfaitement propre, vous allez ajouter des taches. Utilisez un kit de nettoyage et suivez les instructions à la lettre. Le kit contient une lingette humide dans un emballage stérile, certains kits proposent aussi des lingettes sèches.

3 Dans la sacoche d'un appareil photo, il faut prévoir un souffleur et une lampe (une petite LED blanche convient). Mais cela ne permet pas de retirer les particules du boîtier.

4 Un petit aspirateur actionné par une bombe à air comprimé permet de retirer les poussières au lieu de les déplacer.

38

Vérifiez la netteté

Le fait d'avoir un sujet parfaitement net est une technique de base au point qu'elle a tendance à être oubliée au profit d'autres qualités de l'image, par exemple, la balance des blancs ou la conservation des lumières hautes. Si c'est un élément important, c'est que, contrairement à d'autres erreurs, la moindre perte de netteté n'est pas récupérable en postproduction et qu'elle peut anéantir l'image. Si vous faites dans l'impressionnisme ou dans l'image expérimentale, il n'y a aucun problème mais en photo classique, la netteté est l'élément clé de l'image.

Actuellement, peu de photographes utilisent la mise au point manuelle et encore moins un objectif manuel. L'automatisation de la mise au point n'élimine pas les erreurs. Avec l'autofocus, l'erreur la plus courante est d'utiliser la mauvaise partie de la scène, par exemple, l'arrière-plan pour un portrait. Certains appareils photo utilisent des techniques élaborées pour trouver le sujet et maintenir la mise au point mais rien ne permet d'éviter avec certitude les erreurs. Par exemple, la mise au point peut s'effectuer sur le nez plutôt que sur les yeux avec un portrait où la profondeur de champ est réduite. Plus l'ouverture est grande, comme c'est généralement le cas avec un faible éclairage, plus ce problème est important.

Une autre origine d'un manque de netteté est le mouvement provoqué par une faible vitesse d'obturation et le déplacement de l'appareil photo ou du sujet. Ce problème est présenté en détail dans le chapitre consacré au faible éclairage mais la prudence impose de vérifier la photo dès que possible après la prise. Ce n'est pas non plus la peine de le faire systématiquement mais uniquement lorsque vous savez que les conditions sont limites.

Paradoxalement, les écrans LCD des appareils photo, qui simplifient la vie, peuvent également vous laisser croire que tout va bien lorsqu'il s'agit de la netteté et des détails. C'est un véritable problème et,

1-3 **Agrandissez à 100 % pour examiner les détails avec un contraste important sur les contours.**

malgré l'expérience, j'en ai été victime plusieurs fois. Vous regardez l'écran et, pour sa taille, les images semblent bonnes. Le plus dur reste à venir, devant l'ordinateur, où une fois traitées les images ne conviennent pas, mais il est trop tard.

En fait, il est impossible de juger de la netteté en affichant la totalité de l'image sur l'écran LCD, il faut effectuer un agrandissement d'au moins 50 % et dans l'idéal de 100 %. Si vous avez le temps, parcourez l'image et dans le cas contraire, vérifiez au moins les zones sur lesquelles doit se faire la mise au point, afin, si possible, de pouvoir refaire la photo en cas de problème.

Afin d'obtenir une mise au point parfaite, il existe des outils propres à chacun des modèles d'appareil photo. Les appareils photo haut de gamme utilisent des techniques complexes telles que le réglage multipoint, le suivi du sujet ou encore l'utilisation d'un capteur spécifique ou l'analyse de contraste.

39

Réparez une mauvaise mise au point

Comment faire si vous avez oublié d'effectuer les vérifications de la mise au point, comme cela est décrit précédemment, et si vous obtenez une image floue ou du flou sur les parties qui comptent ? Jusqu'à un certain point, il existe une solution logicielle. En renforçant la netteté à l'aide d'un outil comme l'USM (Unsharp Mask), on ne corrige pas le problème à la source mais on tente de réparer en augmentant le contraste entre les pixels. Vous pouvez obtenir une amélioration visible sur les zones sélectionnées mais ce type de correction devient trop visible s'il est utilisé de manière intense. Ce qu'il faut, c'est un logiciel capable de calculer le manque de mise au point et de corriger. La procédure est appelée déconvolution et elle nécessite la recherche de la forme d'origine pour reconstruire l'image. C'est un processus complexe qui demande de nombreux calculs et que l'on trouve essentiellement dans les publications de chercheurs ou dans le domaine de la sécurité, en revanche, les produits commerciaux sont rares. Photoshop offre un filtre qui permet de réduire le flou mais des logiciels spécialisés plus performants commencent à faire leur apparition. FocusMagic est un programme complémentaire qui possède une fonction permettant d'estimer le flou et de le mesurer en pixels, mais il ne peut être corrigé que s'il se trouve dans une région d'environ 20 pixels.

1

1-3 Une erreur de mise au point provoquée par une grande ouverture produisant une faible profondeur de champ. La mise au point se trouve sur le mur derrière la réceptionniste. FocusMagic, une extension de Photoshop, a été utilisé pour réparer l'image sur un calque séparé. Le calque d'origine a été effacé de manière sélective autour du visage pour que la réparation ne nuise pas aux détails nets du mur.

4-6 Le flou de mouvement peut également être réparé à l'aide du même logiciel et le résultat peut être plus frappant puisque les éléments en double se fondent en un seul, comme les ornements de cette femme soudanaise.

2

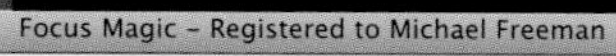
Focus Magic - Registered to Michael Freeman

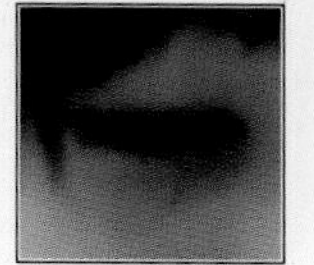
Before

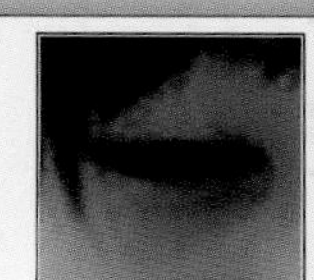
After
Image Source
Digital Camera
Blur Width
Detect
10
Amount
100%
Remove Noise
Auto
Register
About
OK
Cancel
Noise Removed = 0.0%

3

4 5

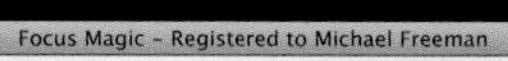
Focus Magic - Registered to Michael Freeman

Before

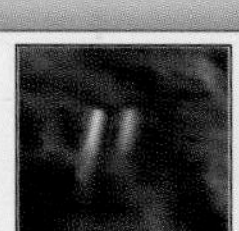
After
Image Source
Digital Camera
Blur Direction
0
Blur Distance
20%
Amount
100%
Remove Noise
No
Register
About
OK
Cancel
Noise Removed = 0.0%

6

7

40

Mise au point très nette

1

Souvent, on se contente de regarder si l'image est nette ou pas, mais ce n'est pas si simple. En fait, il faut regarder le degré de netteté et celui-ci dépend de la méthode que vous utilisez pour la mise au point. L'autofocus fonctionne bien à condition de pointer le bon sujet ; de plus, la résolution varie d'un objectif à l'autre. Une règle indique que la résolution maximale s'obtient à deux stops de moins que la valeur maximale, là, les effets de la diffraction sont les moins forts.

Prenez l'habitude de contrôler la netteté comme c'est indiqué précédemment et, mieux encore, recherchez la manière dont vous et votre objectif effectuez la mise au point. D'abord, prenez un objectif permettant la mise au point manuelle puis visez un objet avec des détails nets lorsque vous le regardez avec un agrandissement de 100 % et utilisez l'ouverture maximale. Déplacez la mise au point du plus petit pas possible puis prenez un cliché, répétez cette opération deux ou trois fois. Ensuite, procédez de la même façon avec tous vos objectifs en photographiant le détail avec la même taille en déplaçant l'appareil photo si nécessaire. Comparez les résultats.

Vous serez surpris de voir les différences entre ce que vous considérez comme net habituellement et entre raisonnablement net et parfaitement net. Vous cherchez avant tout à obtenir la qualité.

Un outil de netteté numérique n'est pas comparable à une bonne mise au point. Pour simplifier afin de vous donner une idée, il s'agit d'un filtre qui améliore l'effet de netteté, une fois la photo prise, en augmentant le contraste entre les pixels. Si vous regardez avec attention une bordure fortement agrandie, vous pourrez voir des pixels intermédiaires entre le bord sombre et le bord clair. Si la bordure est constituée de noir contre du blanc, une ligne de pixels gris peut apparaître. La netteté numérique exagère le contraste et, dans ce cas, supprime le gris. Il existe de nombreux types de logiciels pour augmenter la netteté, le plus courant est sans doute USM (Unsharp Mask), mais aucun ne peut recréer par magie les détails perdus à cause d'une mauvaise mise au point. Toutefois, un procédé, appelé déconvolution, analyse la manière dont le flou se produit afin d'inverser le processus. Mais rien ne vaut une image avec une mise au point vraiment nette dans le départ.

1-2 **Les changements dans les chiffres avec une mise au point manuelle sur un objectif de 85 mm à pleine ouverture, f1.4, permettent de voir la netteté. Il faut regarder plus précisément le chiffre III.**

3-4 **Un objectif particulièrement net sur un sujet avec des détails fortement contrastés, des cheveux sombres sur une peau claire**

2

3

4

41

Recherchez la limite de l'immobilité

Avec de faibles conditions d'éclairage ou lorsque vous utilisez une petite ouverture pour augmenter la profondeur de champ, vous devrez savoir quelles sont vos chances de prendre une photo dont la netteté est acceptable. Même s'il est important de contrôler la netteté en agrandissant l'image sur l'écran de l'appareil photo, cette opération n'est pas possible à chaque cliché. La solution consiste à tester votre aptitude à rester immobile afin de connaître vos limites.

Le mouvement de l'appareil photo est inévitable et, ce qui est important, c'est de savoir si ce mouvement est visible sur l'image. Il existe des degrés de netteté et un degré acceptable peut être loin d'une netteté parfaite. Par conséquent, entre la vitesse à laquelle vous savez que vous aurez toujours une image nette et la vitesse à laquelle l'image est floue, vous avez toute une plage de vitesses qui donnent des images acceptables.

Les deux éléments techniques variables sont la vitesse de l'obturateur et la longueur de focale. Cette dernière est importante : en effet, lorsque la longueur de focale agrandit l'image, les effets des mouvements de l'image sont augmentés. Une règle indique que la vitesse de sécurité est la réciproque de la focale soit 1/longueur de focale (en mm). Cela signifie qu'il faut au moins une vitesse de 1/100 avec une longueur de focale de 100 mm. Cependant, l'expérience montre que cette valeur est un peu surévaluée à moins que vous ne preniez la photo dans des conditions particulières.

Effectuez les tests dans un environnement pratique où vous pourrez les reproduire. La cible doit être un objet avec des détails fins, par exemple une cible optique, une pendule ou une page imprimée. Avec les objectifs que vous utilisez (réglés au plus loin s'il s'agit de zooms), prenez une série de photos en commençant par la vitesse de sécurité puis en la réduisant. Pour une sécurité maximale, utilisez deux fois la longueur de focale, par exemple 1/200 pour un objectif de 100 mm. Pour les expositions suivantes, et dans ce cas précis, on utilise 1/100, 1/50, 1/25 et ainsi de suite. Prenez plusieurs clichés à la suite. Comme indiqué précédemment, lorsque vous atteignez la vitesse critique, l'une des photos floues possède une netteté acceptable.

Transférez les images puis examinez-les avec votre navigateur ou votre base de données, avec un facteur d'agrandissement de 100 %. Notez la vitesse de sécurité mais aussi celle qui vous permet d'obtenir des clichés acceptables. Répétez le test avec d'autres objectifs et d'autres longueurs de focale.

1 Un navigateur (Photo Mecanic) avec un agrandissement de 100 % permet de voir les différences dans une séquence d'images.

2 Mon propre classement de gauche à droite : parfaitement net, suffisamment net, presque net, flou.

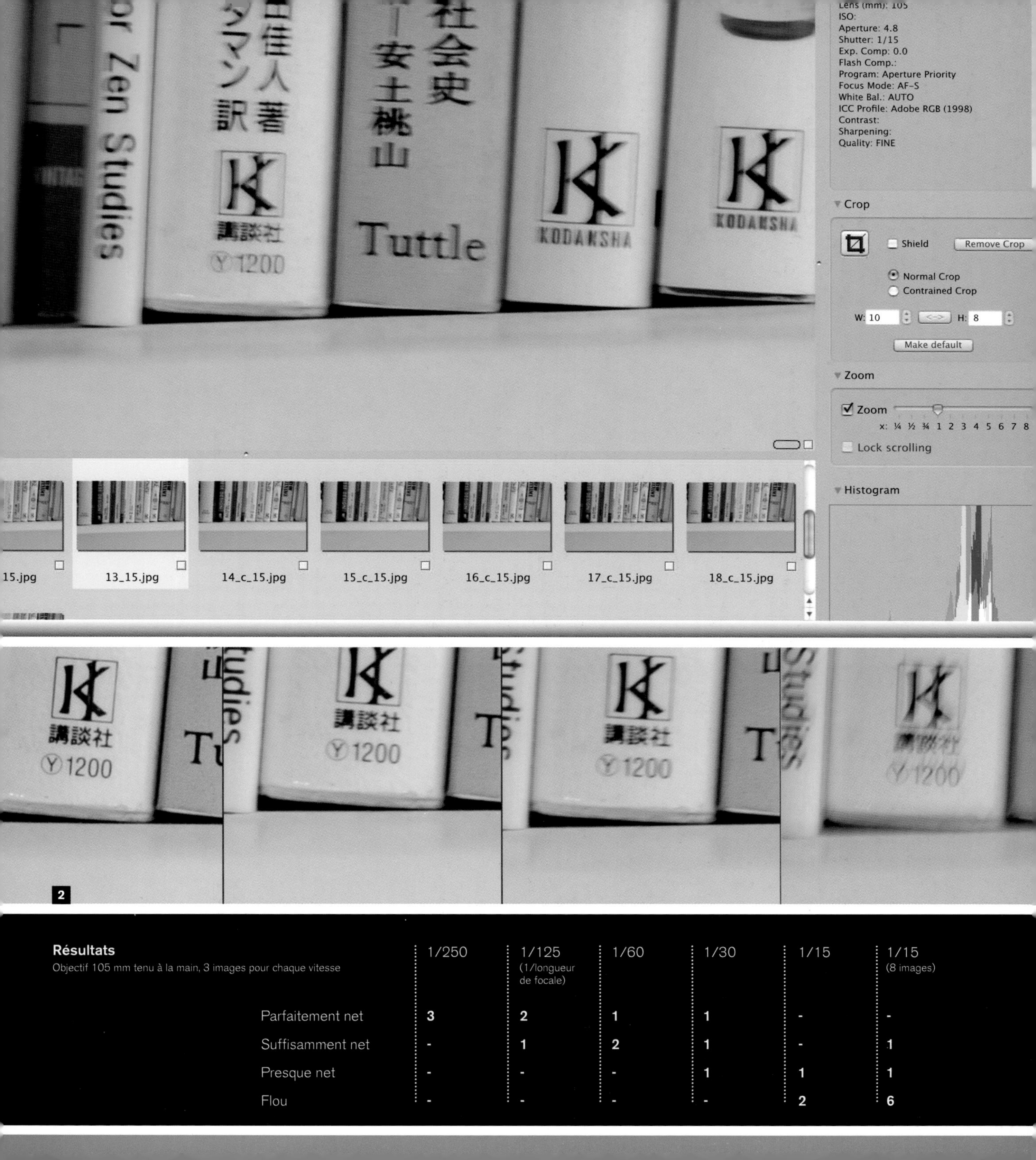

Résultats

Objectif 105 mm tenu à la main, 3 images pour chaque vitesse

	1/250	1/125 (1/longueur de focale)	1/60	1/30	1/15	1/15 (8 images)
Parfaitement net	**3**	**2**	**1**	**1**	-	-
Suffisamment net	-	**1**	**2**	**1**	-	**1**
Presque net	-	-	-	**1**	**1**	**1**
Flou	-	-	-	-	**2**	**6**

42

Améliorez votre immobilité

Que les résultats du test précédent aient été moyens ou encourageants, vous pouvez toujours les améliorer. Pour rester immobile, il faut s'inspirer des techniques appliquées pour le tir sur cible ou le tir à l'arc. Les points suivants présentent des techniques pour tenir l'appareil photo et appuyer sur le déclencheur sans bouger.

Prise en main

Les formes ergonomiques des appareils photo découlent d'années d'expérience dans la fabrication. La manière dont vous tenez l'appareil photo doit répondre à deux besoins : l'immobilité et l'accès aux commandes.

Posture

Votre corps permet de supporter l'appareil photo, mettez un pied légèrement en avant par rapport à l'autre, en formant un angle léger. Conservez votre appareil photo sur le centre de gravité en distribuant le poids uniformément sur les jambes et en vous penchant légèrement en avant.

Appui

Utilisez tout support alentour qui vous donne une position confortable et un bon point de vue. Par exemple, appuyez-vous contre un mur pour maintenir votre tête et votre bras.

Adrénaline

Elle est produite naturellement lors d'une prise de vue exaltante et elle a tendance à réduire l'immobilité. Il est difficile d'y remédier et vous devez trouver votre calme et suivre le conseil sur la respiration.

Respiration

En respirant lentement et profondément, on calme tout le corps. En revanche, lorsque vous retenez votre respiration pendant quelques secondes, vous devrez, en contrepartie, reprendre votre souffle par plusieurs respirations à pleins poumons.

Timing

En appuyant sur le déclencheur au moment où vous terminez l'expiration, vous obtenez l'immobilité.

Se déplacer vers la cible

Il s'agit d'une technique de tireur d'élite qui utilise l'inertie (masse × vélocité) pour supprimer les petits mouvements et qui fonctionne bien avec les grands objectifs. Déplacez-vous lentement vers le sujet que vous souhaitez prendre puis, sans marquer d'arrêt, appuyez sur le déclencheur (voir Astuce 44).

Support adapté

Lorsque cela convient au cadrage, appuyez l'appareil photo sur n'importe quelle surface stable.

43

Tenir l'appareil photo

3

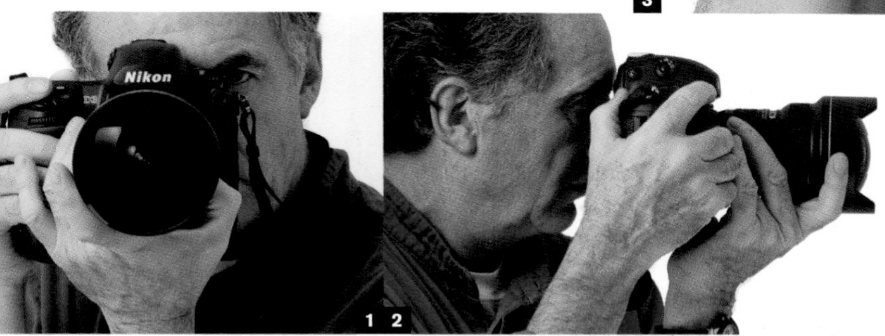

1 2

4

Ne prenez pas mal cette astuce, nous savons tous tenir un appareil photo, et il n'y a pas de prise en main standard puisque chacun possède sa propre technique. Toutefois, il existe des principes qui découlent du bon sens. Les exemples suivants présentent différents objectifs et la position horizontale ou verticale. Moins vous devez vous occuper des réglages et plus vous pouvez consacrer vos mains à tenir votre appareil immobile.

Prise de base

1-2 Le coude sur la poitrine et l'appareil photo appuyé sur le front. La main droite tient fermement l'appareil photo mais l'index reste libre. Cette main supporte la majeure partie du poids. Avec l'autofocus, seul le zoom doit être modifié et le pouce, les deuxième et troisième doigts s'occupent de faire tourner la bague. L'index de la main gauche aide à supporter le poids de l'appareil photo à l'avant de l'objectif et le petit doigt s'appuie sur la main droite pour l'aider à soutenir le poids.

Sangle en soutien

3-4 Une petite variation de la prise de base utilise la sangle pour permettre l'appui de la main droite. Cette technique fonctionne uniquement avec une sangle courte.

Sangle enroulée

5-7 Autre variation qui fonctionne bien avec les vitesses lentes mais dont il est difficile de se défaire après la photo. Enroulez la sangle en tournant votre poignet comme cela est montré afin que l'appareil photo soit bloqué dans votre main.

Maintien vertical avec déclencheur secondaire

1-3 Certains reflex offrent un déclencheur secondaire dans l'angle pour les prises de vue à la verticale. Cela permet une mise en main stable en appuyant les coudes et en maintenant les avant-bras à la verticale. La main droite maintient l'appareil photo et l'index reste libre. La main gauche supporte l'appareil photo par le dessous, le petit doigt et l'index aident à la prise, le pouce et les deuxième et troisième doigts sont sur la bague de zoom.

Maintien vertical avec déclencheur standard dessus

4-6 Sans déclencheur secondaire, vous avez deux solutions. Il s'agit ici de la première avec le déclencheur sur le dessus. Le coude droit est obligé de sortir, ce qui réduit la stabilité. L'appareil photo est supporté par la main gauche. L'œil gauche est dégagé et, comme c'est normal, reste ouvert.

Maintien vertical avec déclencheur standard dessous

7-9 La seconde solution pour le maintien vertical est de placer le déclencheur dessous. Les coudes restent à l'intérieur mais la main droite est tordue. Pour éviter cela, il faut utiliser les doigts, plutôt que la paume de la main, pour s'appuyer sur la main gauche et transférer le poids. Le poignet droit s'appuie sur la poitrine.

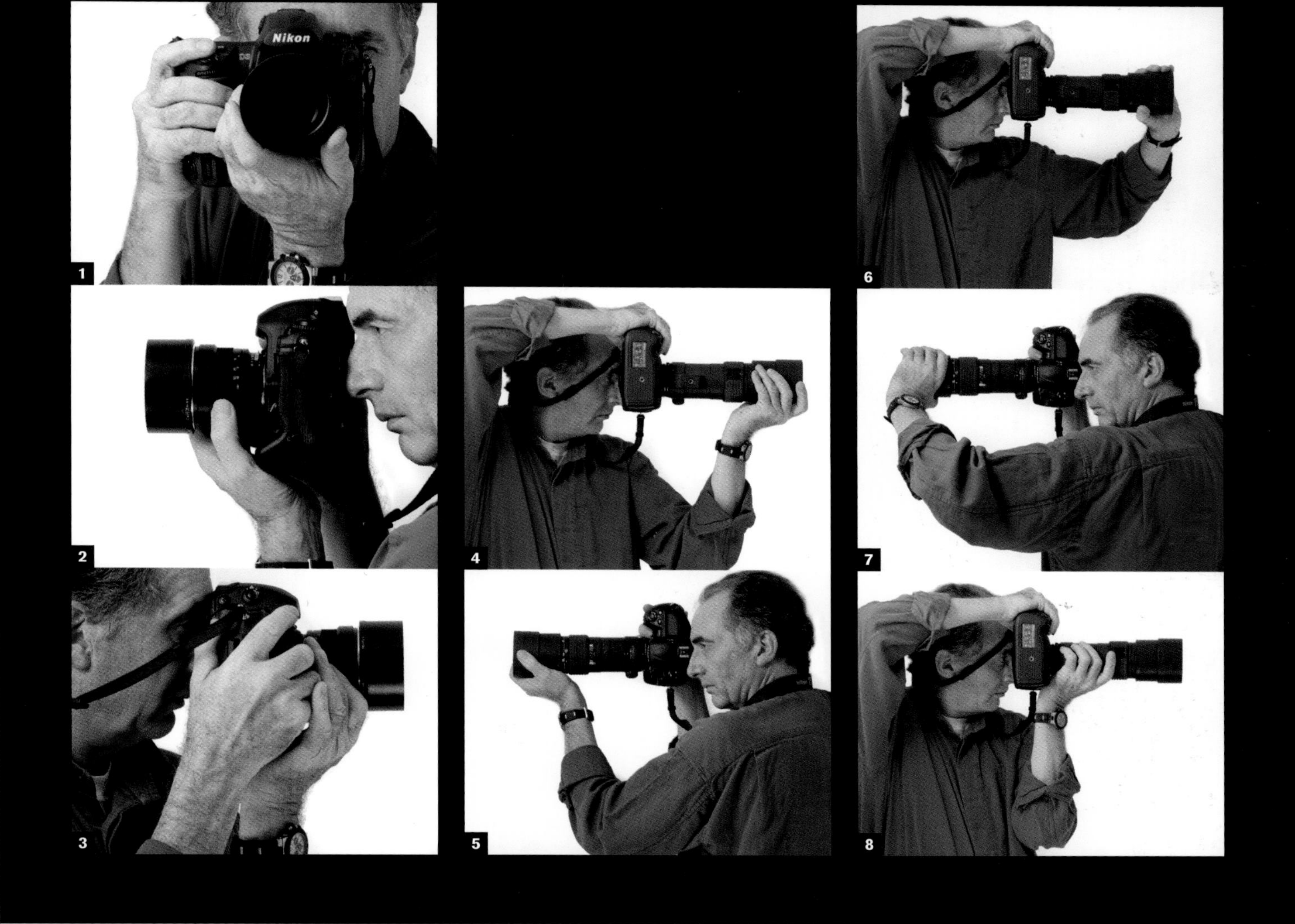

1

2

3

4

5

6

7

8

Mise au point manuelle

1-3 Les objectifs non autofocus sont rares mais toujours disponibles et, même avec un objectif standard, vous pouvez souhaiter faire la mise au point manuellement. Cela signifie que votre pouce et un ou deux doigts doivent être libres pour la bague de mise au point. La paume de la main gauche porte le poids, aidée par la prise de la main droite.

Long objectif, autofocus, prise à l'avant

4-5 La taille et la forme des longs objectifs varient considérablement et elles déterminent la manière dont vous pouvez les prendre en main. Il s'agit ici d'un 300 mm relativement compact avec une ouverture maximale modeste et donc un diamètre faible pour l'élément de devant. Un trépied est préférable avec les objectifs de grande longueur mais lorsque vous devez les tenir à la main, généralement la main droite prend l'appareil photo et l'autofocus libère la main gauche. Si le pare-soleil est suffisamment large, vous pouvez le prendre en main pour répartir le poids et vous plaquez l'appareil photo contre le front.

Long objectif, autofocus, main par-dessus

6-7 Cette variation de 4-7 est ma prise préférée. Dans la précédente prise, le coude n'est pas maintenu. Vous pouvez préférer une prise plus naturelle à l'avant de l'objectif, comme ici.

Long objectif, autofocus, prise au milieu

8 La prise est plus conventionnelle et la main gauche attrape le milieu de l'objectif, l'avant-bras maintenu le plus possible sur le corps. C'est une alternative lorsqu'on utilise un zoom ou une mise au point manuelle.

44

Comment appuyer sur le déclencheur

Le peu qu'il y a à dire sur cette action de base en photographie est important. Il faut appuyer doucement et fermement. Même si cela paraît évident, on sait que les personnes qui ne sont pas à l'aise avec leur appareil photo ont tendance à l'oublier. Après « tout est bien cadré et net, allons-y », on peut appuyer inconsciemment sur le bouton, comme on ferme brusquement une porte. La même chose se produit lors du tir avec des armes à feu, le fait d'appuyer sur la détente réduit à néant le temps passé à viser et à rester immobile. Si vous tenez votre appareil photo comme indiqué dans les pages précédentes, il n'y a aucune raison pour que vous bougiez.

De plus, il ne faut pas longtemps pour s'habituer à la force nécessaire pour appuyer sur le déclencheur, même si celle-ci varie d'un modèle à l'autre. Un grand nombre de fonctions s'activent quand on appuie sur le déclencheur à mi-course (par exemple, l'autofocus) ; il est préférable de s'entraîner à utiliser l'appui en deux étapes : l'activation puis la photo.

Lorsqu'on souhaite utiliser une vitesse d'obturation faible, qu'on ne possède pas de trépied mais qu'il est possible de placer l'appareil photo sur un support, on peut se servir du retardateur si le sujet ne nécessite pas un timing précis. Il est aussi possible de se servir d'un câble pour effectuer le déclenchement sans toucher l'appareil photo.

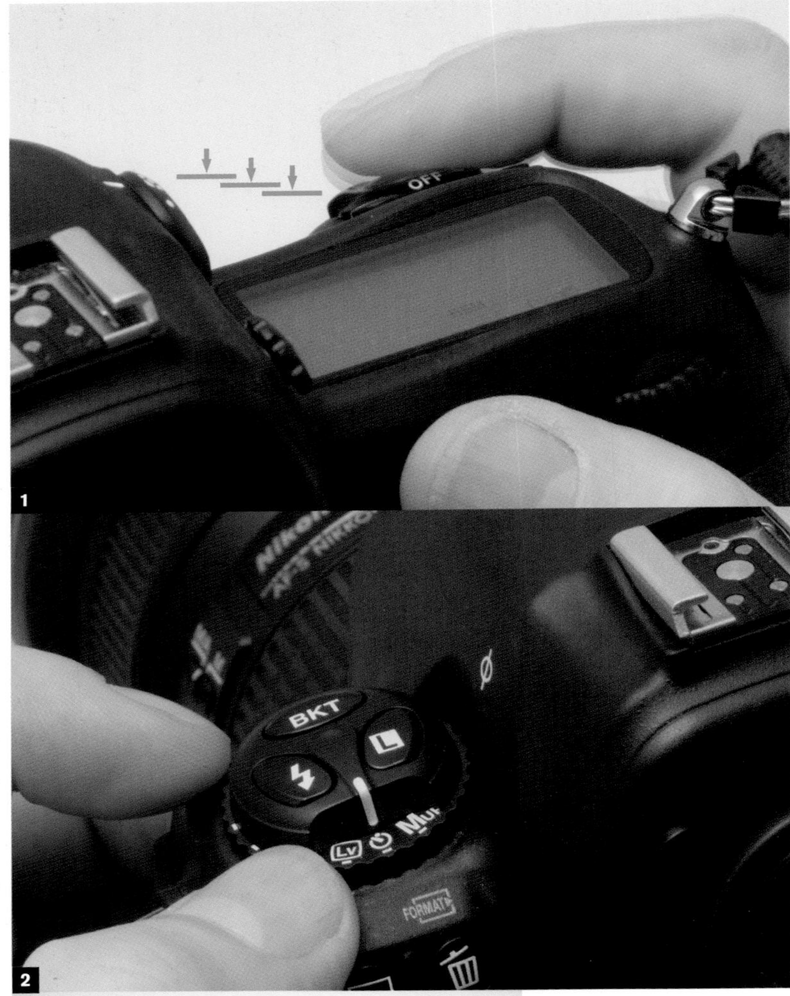

1 Un mouvement lent en deux étapes : à mi-course pour activer les fonctions, puis jusqu'au bout pour la prise de vue.

2 Le retardateur permet le déclenchement interne.

3 Avec un câble, vous évitez d'appuyer sur le corps de l'appareil photo.

45

Transportez un trépied

Le trépied est un accessoire auquel vous devez penser si vous êtes susceptible de rencontrer des conditions qui vous obligent à utiliser une faible vitesse d'obturateur. Mais, faire les bagages avec un trépied peut vous ralentir et cela peut être encombrant. De plus, vous ne passerez pas inaperçu en tant que photographe… Toutefois, le trépied vous permet d'effectuer plusieurs prises puisque vous pouvez laisser l'appareil photo sur le sujet et changer les paramètres (voir Chapitre 7).

Chacun a ses préférences en ce qui concerne le type de trépied mais des matériaux légers et solides comme la fibre de carbone, malheureusement parmi les plus chers, facilitent le transport. Vous avez également besoin d'une courroie, d'une sacoche. Un support sur le trépied qui tient fermement et qui est facile à utiliser, avec un système de fixation rapide, est recommandé (voir Astuce 95).

Un trépied peut se placer n'importe où.

46

Lorsque les trépieds sont interdits

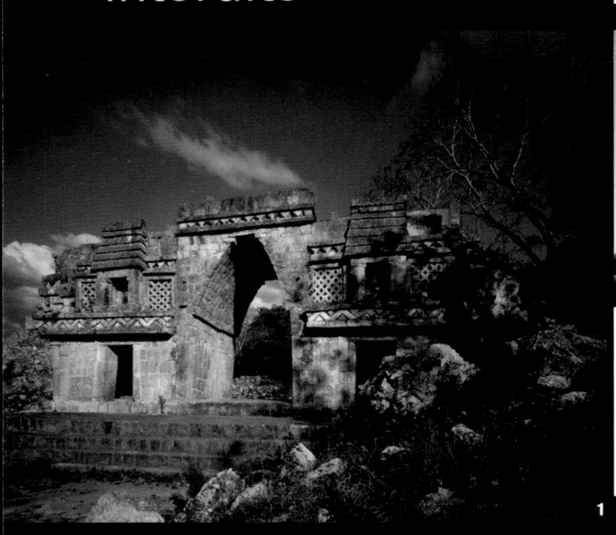

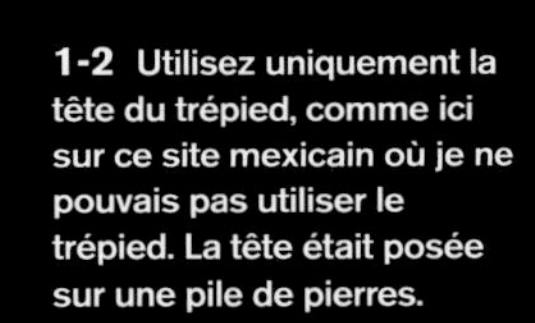

1-2 Utilisez uniquement la tête du trépied, comme ici sur ce site mexicain où je ne pouvais pas utiliser le trépied. La tête était posée sur une pile de pierres.

3 Une version élaborée de la tête du trépied avec un plateau, ce n'est donc pas un trépied.

4-5 Si vous possédez un objectif à correction de perspective, vous pouvez prendre des photos au niveau du sol.

6-7 En appuyant le mini-trépied sur un mur, vous obtenez plus de possibilités d'élévation que sur une surface horizontale.

8 Vous pouvez prendre une photo à partir du sol si vous corrigez la perspective en postproduction.

9 Un monopied, donc pas un trépied, mais on peut vous empêcher de l'utiliser.

Il existe des lieux où il est interdit d'installer et d'utiliser un trépied et, bien entendu, il s'agit des endroits où le trépied est pratiquement indispensable pour prendre une photo, entre autres, les musées, les galeries ou les sites archéologiques. Lorsque vous êtes dans la situation où il est possible de prendre des photos mais pas d'utiliser un trépied, voici quelques possibilités :

* Utilisez le trépied jusqu'à ce que quelqu'un vienne vous l'interdire.
* Utilisez un monopied (mais attendez-vous à ce qu'il soit considéré comme un trépied).
* Utilisez un mini-trépied que vous placez sur une surface élevée ou que vous appuyez contre un mur. Vous pourrez ainsi vous déplacer avec sans que cela attire l'attention.
* Placez un mini-trépied sur le sol et dirigez l'appareil photo vers le haut. Vous redressez la perspective de l'image en postproduction.
* Utilisez la tête du trépied en la maintenant à la main.
* Utilisez un plateau, par exemple une planche de bois.
* Proposez une légère rétribution au gardien (attention toutefois, cela dépend grandement du pays et des circonstances).

47

À l'abri des intempéries

Les sacs en plastique transparent offrent une protection rapide contre l'eau, la neige et la poussière. Il n'est pas facile d'utiliser l'appareil photo mais il est protégé. Le sac doit être suffisamment large pour permettre la manipulation de l'appareil. Placez le corps de l'appareil photo dans un sac suffisamment solide puis protégez l'ouverture autour de l'objectif à l'aide de ruban adhésif. Utilisez l'écran LCD pour la visée ce qui est plus pratique que le viseur. Vous pouvez également utiliser un sac avec une fermeture zip dans lequel vous ouvrez un trou pour l'objectif. Vous pouvez ainsi facilement accéder à l'arrière de l'appareil photo.

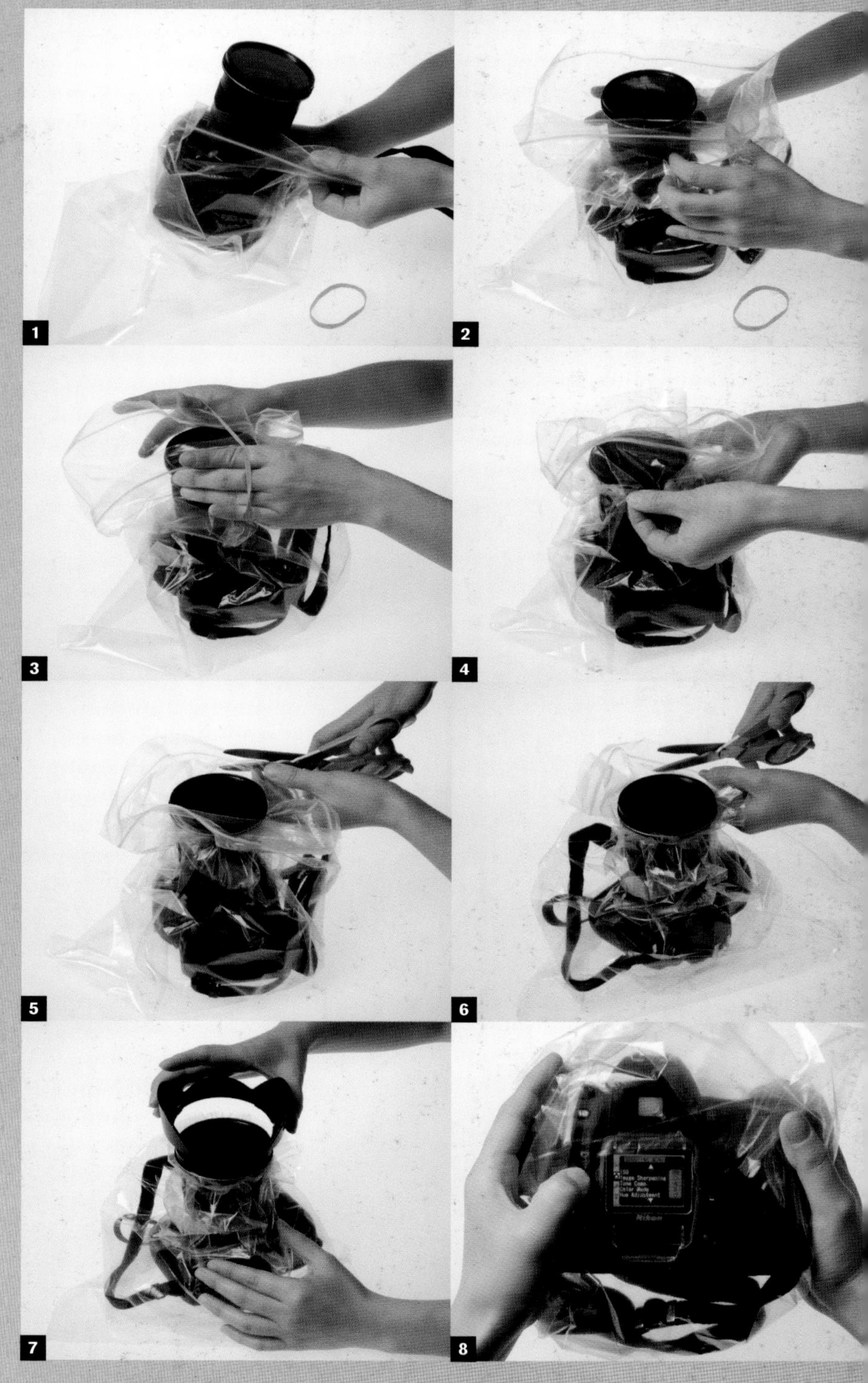

1 **Placez l'appareil photo, objectif vers le haut sans le pare-soleil, dans un sac en plastique.**

2 **Laissez de la place en dessous pour utiliser les boutons et rassemblez l'ensemble sur la partie supérieure de l'objectif.**

3 **Placez un élastique sur la partie supérieure.**

4 **Ajuster la longueur du sac.**

5 **Coupez en laissant environ un centimètre.**

6 **Retirez tout le surplus de plastique.**

7 **Replacez le pare-soleil de l'objectif.**

8 **Utilisez les boutons à travers le plastique.**

48

Prise en main par temps froid

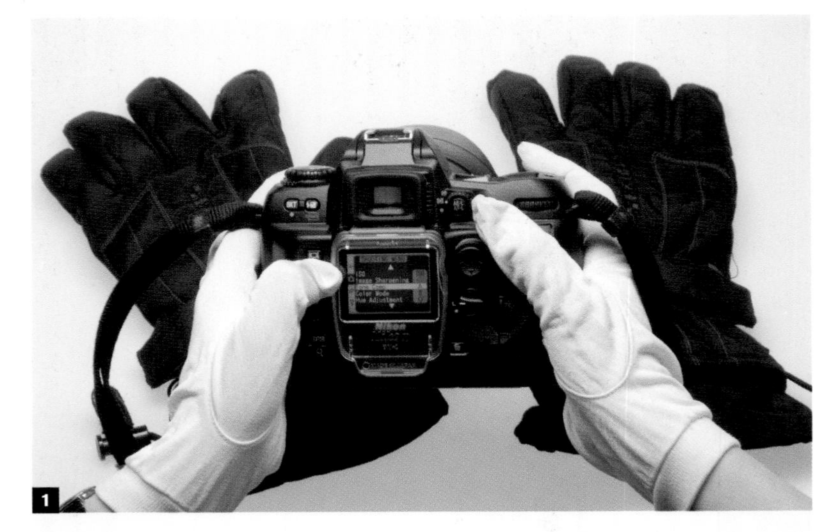

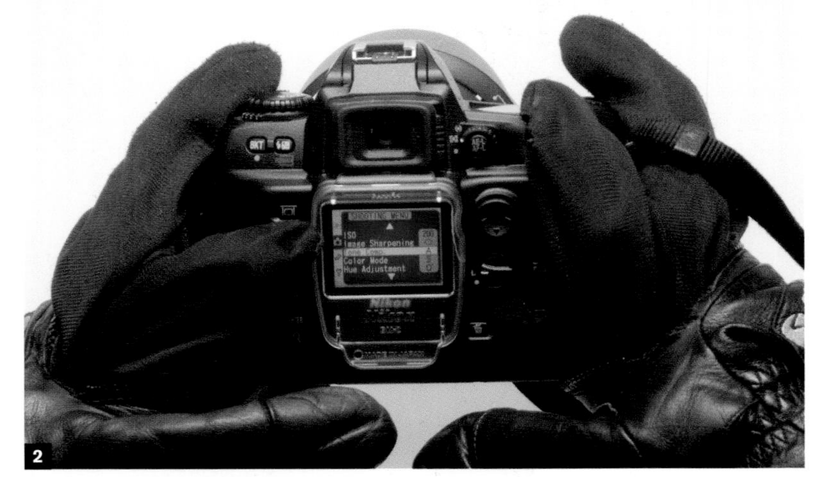

1 Pour éviter que la peau colle au métal glacé, il est préférable d'utiliser des sous-gants en soie.

2 Certaines moufles sont équipées de gants intérieurs que vous sortez à l'aide d'un zip.

3 Une « couverture spatiale » en polyester métallisée offre une bonne isolation et tient peu de place.

Les températures négatives sont moins un problème que ce qui se produit lorsque l'appareil photo est déplacé d'un lieu froid à un lieu chaud, puisque cela provoque de la condensation qui peut endommager l'électronique. Il est possible de laisser le matériel dans une partie froide de l'habitation ou dans un véhicule plutôt que le mettre directement dans une pièce chaude. On peut aussi le placer dans un sac épais avec le moins d'air possible pour que la condensation se forme à l'extérieur du sac ; il est préférable d'ajouter un absorbeur d'humidité.

Le risque à craindre, à passer de la chaleur au froid, c'est de voir la neige fondre sur les joints et le corps de l'appareil photo puis se solidifier et endommager le matériel par expansion. De même, la condensation de la respiration peut geler et il est préférable d'éviter de souffler sur l'appareil photo chaud. Vous devez attendre que l'appareil photo, dans son sac, atteigne la température basse avant de l'utiliser.

Les batteries fournissent moins de puissance par faible température et la capacité est très faible à une température de –20 °C et, en dessous, l'électrolyte gèle (mais elle recommence à fonctionner dès qu'elle fond). Ayez des rechanges que vous placez dans un endroit chaud, comme la poche de votre pantalon, et soyez prêt à recharger souvent.

49

Chaleur et poussière

Les fortes températures endommagent plus les appareils photo que les basses températures et peu de modèles sont conçus pour fonctionner au-delà de 40 °C, comme vous pourrez le voir sur les spécifications du constructeur. La plupart des appareils photo et des objectifs sont noirs et ils absorbent rapidement la chaleur radiante. Lorsque la température dépasse 40 °C, n'exposez pas le matériel directement au soleil. Une « couverture spatiale » ou du papier d'aluminium peuvent se transformer en protection particulièrement utile, surtout lorsque l'appareil photo reste longtemps sur un trépied au soleil.

Dans les environnements chauds et secs comme les déserts, le problème essentiel est la poussière et le sable qui peuvent entrer dans les zones exposées, comme les bagues de mise au point ou de zoom, surtout s'il y a du vent. Utilisez la technique décrite à l'Astuce 47 et essayez de ne pas changer d'objectif si vous n'êtes pas dans un lieu fermé (dans un véhicule).

1 Un élément réfléchissant peut couvrir temporairement et être maintenu avec des élastiques.

2-3 Du ruban adhésif permet de protéger les joints des parties de l'appareil photo (dans ce cas, la porte du compartiment pour la carte mémoire).

Chapitre_ 05

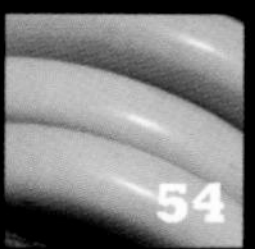

Composition

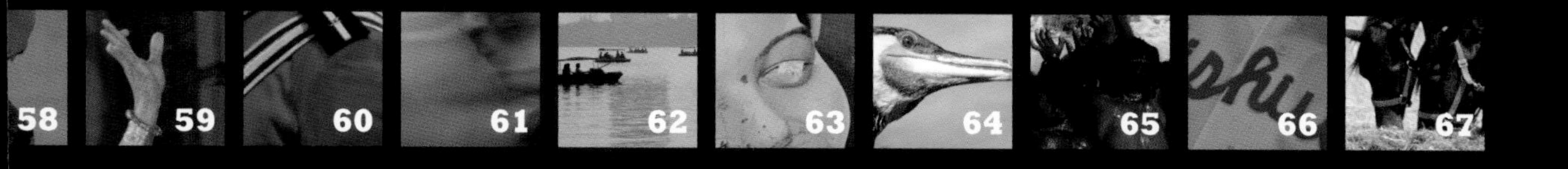

50

Recherchez le contraste

La composition nécessite une attention particulière puisqu'elle est à la base de l'image. Les décisions à prendre sont nombreuses et complexes : choisir le point de vue, l'angle de l'appareil photo et le timing afin que tous les éléments se placent correctement. Il n'existe pas de règles pour la composition mais il existe des principes et des techniques qui peuvent s'utiliser pour produire un certain effet sur le spectateur. Vous pouvez les appliquer dans une certaine mesure, en évitant de produire un effet prévisible et ennuyeux. Vous devez garder à l'esprit que ce chapitre présente des idées qui ont fait leurs preuves et qui peuvent être utiles avec un type de photo et rien de plus.

Le premier principe est de prendre en compte le contraste dans tous les sens du terme. La photo est essentiellement une histoire de contraste : entre les tons, les sujets, les emplacements ou les tailles. Ce principe a été établi par Johannes Itten au Bauhaus. Ce peintre avait une forte influence sur la création moderne et il a écrit « rechercher toutes les formes de contraste possibles est l'un des sujets les plus passionnants, parce que les étudiants découvrent qu'un monde nouveau s'ouvre à eux ». La méthode qu'il enseignait était la première à prendre en compte le contraste pour créer une image qui lui donne corps. Cela fonctionne toujours avec les photographies actuelles.

1 Cette image montre le contraste entre la lumière et l'ombre ou entre la couleur et le monochrome. Le contraste peut exister sous plusieurs formes dans une image.

2 Le contraste des couleurs occupe la première place ici, accentué par le cadrage qui sépare de manière égale le mur et la porte.

3 Dans cette image, on voit une demeure coloniale aux briques bien rangées s'opposer aux branches et aux feuilles désorganisées.

51

Placement dynamique

1

Si vous avez un sujet unique, vous devez le placer quelque part dans le cadre. Cet emplacement est important parce qu'il y a des positions qui sont plus intéressantes ou plus adaptées que d'autres. De plus, la position peut parler du sujet. Par exemple, s'il s'agit d'une personne qui marche, l'image ne communique pas la même chose selon qu'elle se trouve d'un côté et entre dans le cadre ou de l'autre côté et sort du cadre.

Un sujet sur un arrière-plan uni correspond à la plus simple des situations. Même si c'est très rare dans la vie courante (on trouve un exemple, ici), c'est un cas d'école intéressant. Il faut garder à l'esprit que toutes les scènes sont plus complexes et que l'ajout d'un élément apporte une nouvelle relation entre les images. De plus, il ne s'agit pas d'une formule à appliquer partout ; en effet, les formules deviennent vite ennuyeuses.

Pensez que le sujet unique est en relation avec son arrière-plan et cela avant même de savoir quel est ce sujet (sans doute une personne) et ce qu'il fait (par exemple, se déplacer). La taille est importante, comme toujours, mais considérons que le sujet n'est pas petit et qu'il occupe la totalité du cadre, comme l'illustrent les exemples ici. Pour faire simple, on trouve une série de placements allant du centre vers le bord. Le centre suggère la précision, la rigidité, la symétrie et une faible interaction avec l'arrière-plan. Avec le sujet placé au bord ou dans le coin, l'effet est extrême, fortement asymétrique, et il y a certainement une raison pour qu'il soit si loin. Le sujet interagit fortement avec l'arrière-plan qui domine l'image.

La position, entre le centre et les bords, est généralement plus raisonnable et demande une relation en finesse. Lorsque vous déplacez le sujet par rapport au centre, un contraste se crée avec l'arrière-plan qui devient plus important. C'est ainsi que le placement passe de statique à dynamique. Si vous recherchez un équilibre, utilisez une position qui est proche du nombre d'or (voir Astuce 52). Si vous souhaitez plus de tensions, positionnez vers l'extérieur. Mais comme cela a déjà été indiqué, il n'y a pas de formule toute faite, uniquement des dynamiques à créer.

1 En plaçant le phare de façon excentrée, sa relation avec la mer est renforcée. Le fort contraste des couleurs et de la taille permet d'expliquer le rôle du phare.

2 Ce que j'appelle une photo de « bateau sur l'eau », où il y a une presque totale liberté pour placer l'objet n'importe où dans le cadre.

3 Un homme dans une cathédrale. Placé ainsi, le visage rentre dans l'image, un cadrage conventionnel reste généralement efficace.

2
3

52

Division dynamique

Le cadre de l'image a tendance à se diviser lui-même en plusieurs zones à cause des différentes couleurs, tonalités ou textures, qui sont séparées par des lignes plus ou moins définies. Il s'agit de photographie et non pas de peinture et vous travaillez avec ce que les scènes vous offrent. Par conséquent, vous devez apprendre à reconnaître les divisions possibles et modifier l'angle de vue, la longueur de focale ou tout autre élément pour obtenir l'arrangement que vous souhaitez.

En fonction des lignes ou des zones, les divisions apparaissent plus ou moins clairement. La division la plus évidente est celle de la ligne d'horizon qui est l'équivalent du positionnement d'un sujet unique. En fait, la division d'un cadre et le positionnement de sujets sont intimement liés. L'un permet de configurer le contraste entre un point et une zone et l'autre le contraste entre différentes zones. De plus, les lignes d'une division peuvent être implicites comme on peut le voir aux pages précédentes. En positionnant un sujet unique, on divise automatiquement le cadre horizontalement ou verticalement.

Comme avec le positionnement, une méthode utile consiste à penser à l'interaction dynamique entre les zones en en plaçant certaines contre d'autres, les grandes par rapport aux petites afin de donner du sens ou de la dynamique, puisque j'utilise ce terme. Les divisions les plus courantes sont verticales et horizontales. Si vous placez une ligne d'horizon dans l'image, vous obtenez une division horizontale tandis qu'un arbre au premier plan ajoute une division verticale. L'œil ne peut gérer que quelques divisions, s'il y en a trop, elles sont perçues sous la forme de motifs ou de textures et les zones distinctes sont perdues.

Comme avec le placement dynamique, vous devez penser les proportions des divisions afin de créer des contrastes entre les différentes zones. Couper en deux le cadre équivaut à placer le sujet au centre. L'effet est formel et symétrique et il suggère que les différences entre les côtés de la ligne de séparation (couleur, tonalité, contenu, etc.) ne sont pas autorisées à s'exprimer par elles-mêmes mais cela peut être l'effet recherché. Une division asymétrique, avec une ligne proche d'un bord, est un peu extrême et doit être justifiée. Les divisions équilibrées se trouvent sur le premier ou le deuxième tiers (40 %/60 %). Le nombre d'or, très connue dans le domaine artistique, offre un ratio de 1,6:1 qui assure une excellente perception visuelle. Mais l'harmonie n'est peut-être pas ce que vous recherchez et, dans ce cas, optez pour une division extrême.

1 Coupée de cette manière, la structure centrale du musée crée une division intéressante. L'image avait besoin de personnages pour être complète, et l'œuvre en noir et blanc sur le mur donne plus d'espace à la section de droite.

2 Deux petites sculptures placées dans une porte industrielle rouillée. Le cadre utilise les divisions rectangulaires de la porte mais l'emplacement des sculptures donne une sensation de poids.

53

Simplifiez

Ce principe n'est pas un principe universel puisque, une nouvelle fois, cela pourrait conduire à l'ennui, mais il trouve sa place dans la photographie. Le monde devant l'appareil photo est généralement en fouillis et la photo se doit d'organiser ce chaos visuel. Généralement, il suffit de faire le ménage au moment du cadrage.

Cela fonctionne parce que notre esprit s'accommode de l'ordre et se débarrasse du désordre. La théorie de Gestalt connaît un renouveau grâce à son utilité dans le domaine des communications modernes, comme la conception des interfaces. Cette théorie utilise un certain nombre de « lois » sur la perception et l'une d'elles indique que l'esprit aime les explications visuelles simples. Les agencements simples, les formes simples, les lignes simples et ainsi de suite.

Pour composer une photo, la simplification se fonde sur le choix du point de vue et de la longueur de focale afin de supprimer les informations inutiles. Bien entendu, il faut être capable de voir en esprit un arrangement simple.

1 Normalement, les fermes n'évoquent pas la simplicité, mais les pierres de la grange et des murs possèdent une pureté géométrique. Une longue focale pour cadrer le bâtiment et le mur en diagonale permet la simplicité.

2 Cette entrée austère est décorée à l'aide d'un unique canapé en forme de lèvres rouges et allongées. En cadrant pour prendre la porte et la galerie, on accentue l'effet en montrant qu'il s'agit réellement d'un intérieur.

54

L'essence du détail

1 Des masques. Il s'agit, en fait, de guides pour le traitement du cancer par laser et pour le photographe, une manière d'illustrer les procédures.

2 Les mains d'une vieille femme indonésienne. Au départ, je pensais faire un portrait. Puis, nous avons parlé et j'ai pu remarquer la texture de ses mains contre sa robe et les bracelets en ivoire pour le contraste.

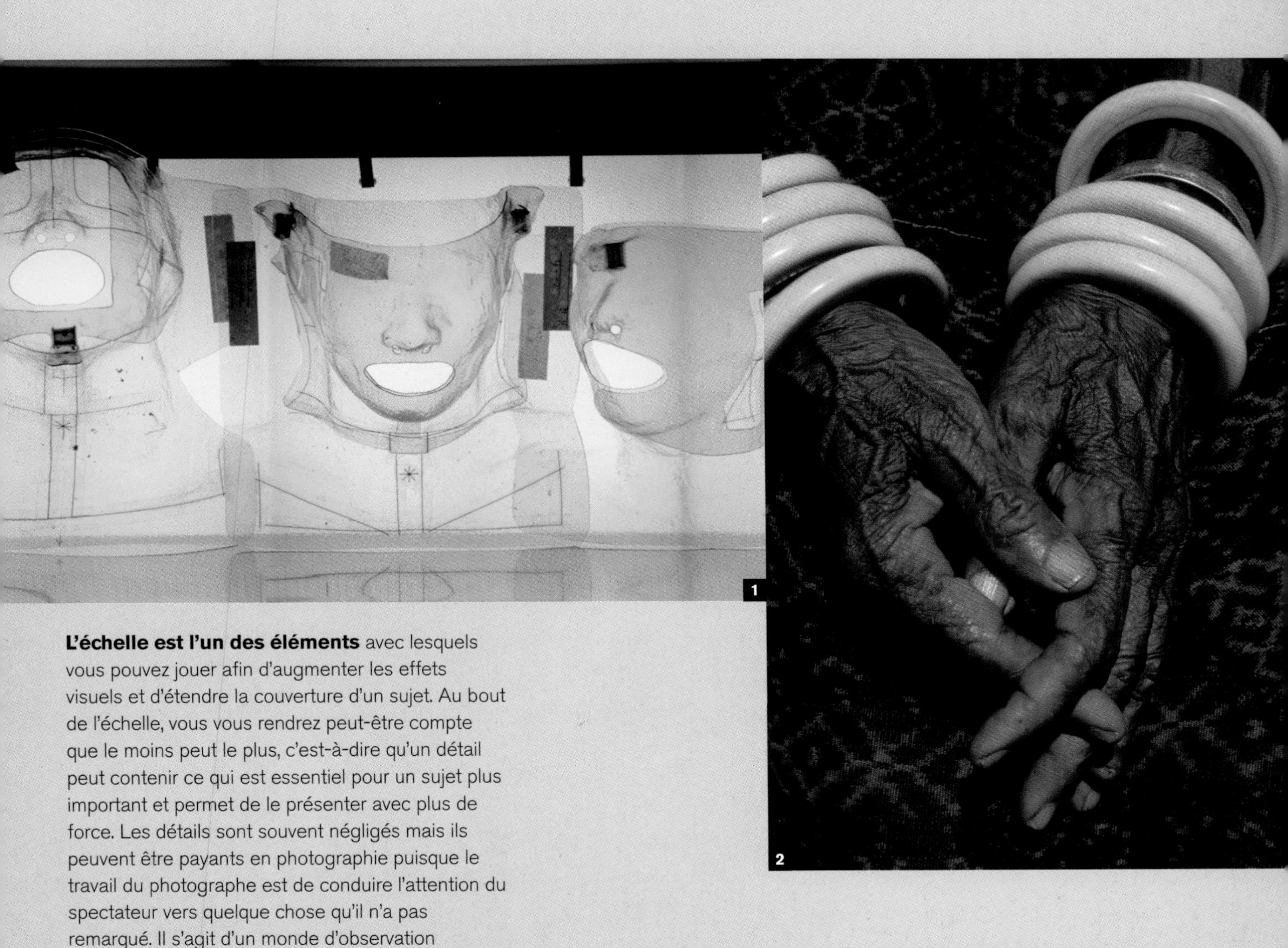

L'échelle est l'un des éléments avec lesquels vous pouvez jouer afin d'augmenter les effets visuels et d'étendre la couverture d'un sujet. Au bout de l'échelle, vous vous rendrez peut-être compte que le moins peut le plus, c'est-à-dire qu'un détail peut contenir ce qui est essentiel pour un sujet plus important et permet de le présenter avec plus de force. Les détails sont souvent négligés mais ils peuvent être payants en photographie puisque le travail du photographe est de conduire l'attention du spectateur vers quelque chose qu'il n'a pas remarqué. Il s'agit d'un monde d'observation rapprochée où on souligne des parties de sujets auxquelles d'autres n'ont pas prêté attention.

55

Organisez les formes

La manière dont les formes apparaissent dans une image dépend de leur contraste (généralement, les tonalités ou les couleurs). Bien entendu, les sujets ont une forme mais les formes qui offrent un intérêt graphique dans l'image sont celles qui apparaissent de façon moins évidente. Des formes subtiles sont les plus utiles, elles permettent d'organiser l'image, de lui donner un aspect reconnaissable, et offrent à l'œil le plaisir de les découvrir en faisant un petit effort. Même si on peut trouver une infinité de formes, il existe trois formes de base : le rectangle, le triangle et le cercle. Toutes les autres formes, du trapèze à l'ellipse, ne sont que des variations. Chacune d'elles est intimement liée au type de ligne qui la délimite. Les rectangles sont produits par des lignes verticales et horizontales et les cercles par des courbes. Le principal intérêt des lignes est de diriger l'œil et, celui des formes, est d'organiser les éléments de l'image en entourant ou en séparant les sujets par groupes. L'organisation est au cœur de la composition.

1 Les courbes des paravents avec la couleur forte permettent de diviser le cadre et de délimiter la figure de l'homme.

2 Une image d'une longue série sur les préparatifs d'une parade au Vietnam. À cet instant, les filles tiennent ensemble leur chapeau devant le visage pour se protéger du soleil alors que le vent soulève l'une des robes pour créer une combinaison inhabituelle composée d'un triangle et de deux cercles.

56

Triangles de base

1 À cause du grand nombre de personnes dans cette favela brésilienne, la solution la plus simple est un triangle comme celui-ci, créé en plaçant des enfants assis par terre au premier plan, d'autres assis sur des chaises et d'autres debout.

2 J'avais déjà pris des photos de cette scène de baignade en Inde. Pendant une micro-seconde, tout s'est placé en triangle, c'était imprévisible mais je l'ai senti venir et j'ai pris cet instant.

Le triangle est la forme la plus simple et la plus courante. Elle nécessite uniquement trois points ou trois bordures qui s'entrecoupent. Comme nous l'avons vu précédemment, les formes organisent et le triangle le fait de manière simple. En effet, les trois côtés permettent de diriger le regard vers le centre du triangle. C'est ce que l'on utilise couramment pour organiser les objets d'une nature morte. Les triangles inversés fonctionnent bien également. En accentuant la structure d'un triangle dans l'image, on peut recadrer pour détourner l'attention des éléments qui distraient. Il peut être nécessaire de changer de point de vue, par exemple en plaçant l'appareil photo au sol, ou d'agencer les objets différemment en studio.

57

Mouvement des diagonales

Les diagonales donnent du dynamisme à l'image en suggérant le mouvement.

Avec les appareils photo, les diagonales sont créées à l'aide des points de vue et des perspectives. Les bâtiments horizontaux ou verticaux, les rues et toute autre création humaine convergent lorsqu'on les photographie en angle. Lorsque l'angle est ouvert et que la longueur de focale est courte, la convergence est importante et le mouvement de la diagonale est plus fort. Pour les photos d'architecture, les photographes utilisent des focales longues pour compenser l'effet naturel des optiques. Toutefois, pour créer une composition dynamique, vous pouvez utiliser les diagonales et même les exagérer, en utilisant un grand-angle ou en plaçant l'appareil photo au sol orienté vers le haut.

1

1 Cette cour japonaise a été photographiée en carré mais un grand-angle, placé dans un coin, donne une composition dynamique renforcée par la lumière du soleil qui apporte une autre diagonale à la scène.

2 En plaçant l'appareil photo à l'oblique, on accentue les effets des diagonales comme dans ce portrait d'un artiste au travail.

3 Des vues en oblique d'angles droits produisent des zigzags, un chevron. Les angles sont joints et l'impression de mouvement dans la diagonale est conservée. Il est toujours utile de distinguer les lignes comme celles-ci des autres éléments, dans ce cas, deux personnes à chaque bout.

4 Avec un grand-angle de vue, une focale courte crée presque automatiquement des diagonales qui convergent lorsque le point de vue est proche et anguleux.

2
3
4
明珠号
PEARL TOWN

58

Fluidité des courbes

Les courbes offrent le même potentiel de mouvement, de direction et d'impression de mouvement que les diagonales, mais elles sont plus douces et donnent de la fluidité. Toutefois, elles restent plus difficiles à trouver dans la scène parce qu'elles ne peuvent pas être créées de la même manière que les diagonales, en utilisant un grand-angle ou un fort angle de prise de vue. Leur rareté les rend intéressantes et, comme les autres éléments picturaux de base (les points, les lignes et les formes), elles fonctionnent mieux lorsqu'elles ne sont pas créées. Vous n'avez aucun mérite à prendre en photo des courbes déjà réalisées par une autre personne, un architecte ou un designer. L'exemple ici montre cela, les courbes ne sont pas évidentes mais elles apportent de la structure et de l'intérêt à une photo autrement banale.

1-2 Il me fallait une pose pour le portrait de Liu Jian Hua, artiste de Shanghai, pris dans son atelier. L'endroit le moins encombré était ce balcon sur lequel se trouvait déjà l'une de ces œuvres, appartenant à une série basée sur la distorsion de courbes. J'ai donc utilisé ces courbes et demandé à l'artiste de regarder au loin par-dessus le balcon. À un moment, il a regardé dans l'autre direction, ce qui de manière inattendue a créé une courbe plus intéressante.

59

Vertu des verticales

Les photos sont majoritairement prises au format horizontal parce que c'est de cette manière que sont conçus les appareils photo (on peut aussi dire que les constructeurs les font comme cela parce que les gens prennent les photos dans ce sens, mais le résultat est identique). Pour prendre la photo à la verticale, il faut tourner l'appareil sur le côté, ce qui déplait parfois. Cependant, cela donne plus de possibilités dans la composition.
Les photographes professionnels réalisent souvent des photos verticales à la demande de leurs clients – les pages imprimées sont souvent verticales. Si vous ne le faites pas encore, demandez-vous si la photo ne serait pas mieux à la verticale plutôt qu'à l'horizontale. Cela deviendra rapidement naturel et vous ne vous poserez plus la question.

Les sujets verticaux ou les groupes d'éléments organisés à la verticale sont la raison principale pour choisir ce format mais il existe d'autres raisons. L'une d'elles est de forcer l'œil et l'attention du spectateur vers le haut ou le bas de la scène. Comme avec le canal photographié ici, les téléobjectifs sont particulièrement utiles pour donner de la profondeur. D'autres raisons sont plus subtiles, par exemple, jouer avec le contraste entre les éléments. L'œil passe de façon plus naturelle d'un côté à l'autre et fait un peu plus d'effort pour regarder le haut et le bas de l'image verticale.

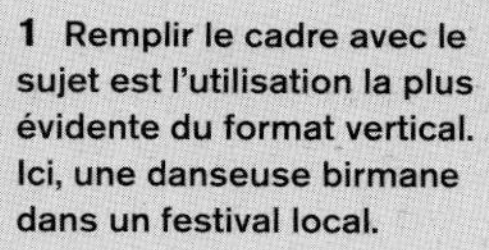

1 Remplir le cadre avec le sujet est l'utilisation la plus évidente du format vertical. Ici, une danseuse birmane dans un festival local.

2 Un cadre 2:3 fait travailler l'œil du spectateur et permet un travail intéressant sur la composition. Sur cette image d'une fin d'après-midi sur un mur d'une maison au Nouveau-Mexique, le ciel étant placé dans la partie supérieure droite, le contraste est plus important qu'à l'horizontale.

3 Le format vertical s'utilise avec un téléobjectif pour les paysages. Avec une scène adaptée, on obtient une excellente profondeur. Cette photo d'un canal serpentant à travers les champs oblige l'œil à parcourir l'image vers le haut et le bas.

60

Recherchez le rythme

Le rythme dans une image est équivalent au rythme en musique. Il correspond à un motif et à une répétition et, de plus, il apporte une impression de direction. Dans des images comme celles des exemples ici, l'œil se promène dans la scène grâce à un chemin rythmique. Comme c'est le cas avec les lignes et les formes, il n'est pas nécessaire de mettre cela en avant, on utilise les possibilités offertes lors de la photo et on ne planifie rien.

1 Une file de soldats thaï en uniforme de cérémonie donne un sens du rythme puissant. Pour cela, un objectif de 600 mm est utilisé avec une prise en angle et un cadrage qui assure que le motif rythmique continue sur les côtés gauche et droit.

2 La fille qui nettoie les ombrelles donne vie à cette autre forme de répétition où, comme avec les soldats, la clé du succès repose sur le cadre totalement rempli pour laisser penser que les motifs sont sans fin.

61

Essayez le flou de mouvement

Dans des conditions de faible luminosité en particulier, il faut faire des efforts pour éviter le flou de mouvement, provoqué par le déplacement du sujet ou de l'appareil photo, puisqu'une image doit être nette. Toutefois, le flou de mouvement peut être une qualité, selon votre goût et selon la manière dont il est utilisé. Bien entendu, si vous prenez en photo des lumières qui se déplacent sur fond de nuit noire, vous savez à quoi vous attendre. Mais des éléments sombres qui se déplacent sur la lumière ou des sujets complexes en mouvement peuvent donner des résultats inattendus, même lorsque vous prenez beaucoup de clichés. Le flou de mouvement délibéré reste une technique à utiliser avec modération.

On trouve de nombreux exemples parmi les anciens maîtres de la photographie, comme Ernst Haas. Tout le monde n'apprécie pas des images avec des flous, mais elles fonctionnent parfaitement grâce à la manière dont les couleurs et les tonalités s'entremêlent. On obtient un mouvement dans le cadre, et les effets changent en fonction du temps d'exposition, de la manière de déplacer l'appareil photo, de la longueur de la focale et de la manière dont le sujet bouge. De plus, l'agencement des couleurs et des tonalités de la scène est important. Le mieux reste d'expérimenter, ce qui est facilité par la photo numérique et la possibilité de contrôler immédiatement.

1 J'ai accompagné le mouvement de droite à gauche de ces deux marcheurs. Avec une focale de 400 mm et une exposition de ½ seconde, seules quelques zones sont presque nettes. Le résultat est une scène à peine lisible.

2 En prenant la photo avec un grand-angle (27 mm) et un temps d'exposition de 1/3 de seconde, tout en marchant, on obtient une sorte de tunnel.

3 Une focale moyenne (135 mm) et un léger déplacement à 1/20. Le flou donne la sensation de mouvement sans masquer le détail de ces deux femmes sur un marché du Yunnan.

62

Alignements

Comme nous l'avons vu, dès que des lignes et des formes peuvent se distinguer, elles donnent une structure à l'image. De la même manière, lorsque les sujets s'alignent ou partagent une connexion visuelle, cela donne également de la cohésion.

Il existe de nombreux pièges, par exemple, penser qu'une photo doit posséder ce type d'alignement. Cette technique utilisée régulièrement deviendrait ennuyeuse, mais, occasionnellement, il est intéressant de l'explorer. Comme toute technique évidente, elle peut s'utiliser naturellement, sans qu'on réfléchisse à la composition. Voici deux exemples qui sont similaires dans le fait qu'ils alignent un personnage avec des éléments à l'arrière-plan. Il existe évidemment d'autres possibilités qui pourraient être utilisées par d'autres photographes, le goût personnel entrant fortement en ligne de compte. Mais peut-être n'en aimez-vous pas du tout l'idée ?

1

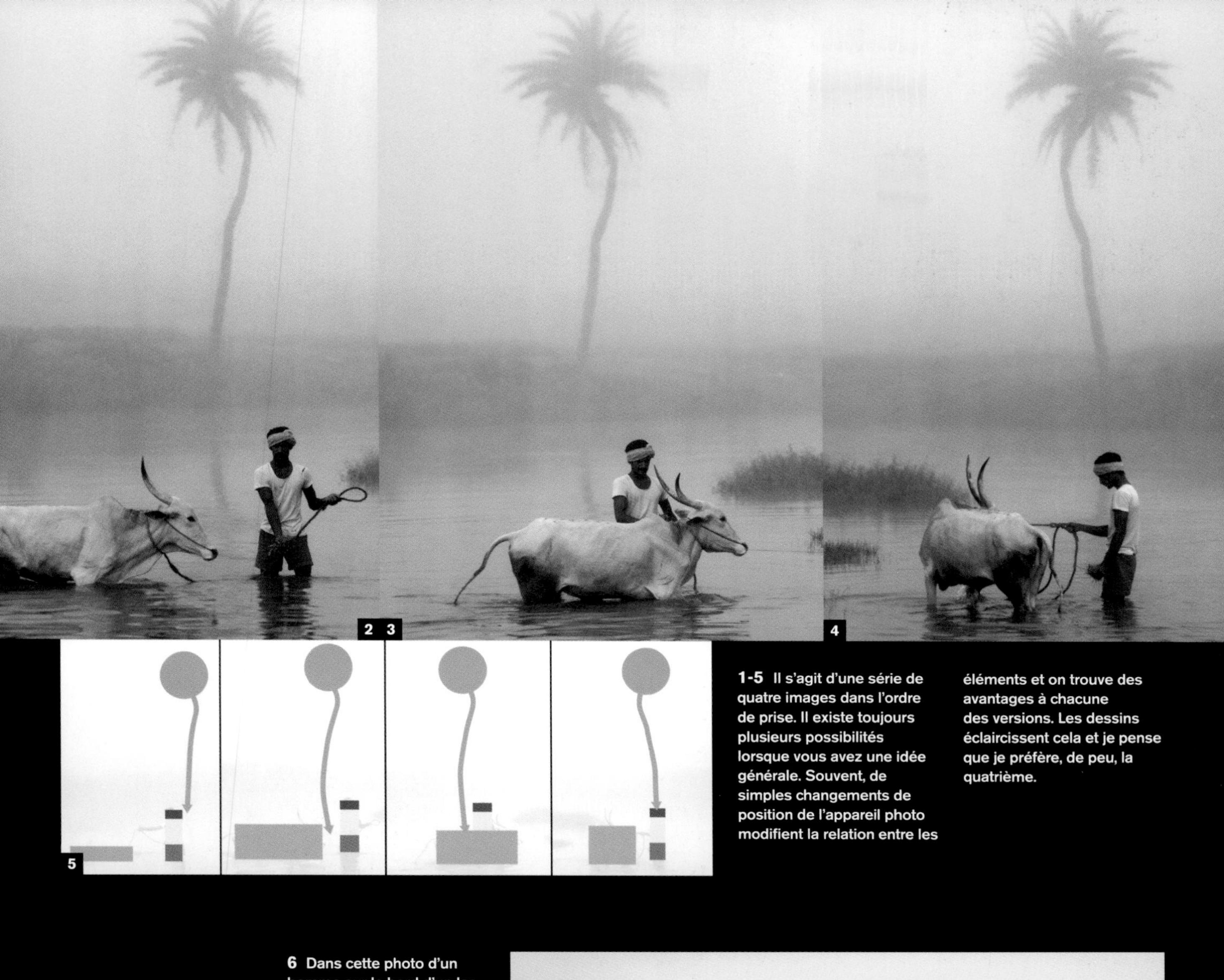

1-5 Il s'agit d'une série de quatre images dans l'ordre de prise. Il existe toujours plusieurs possibilités lorsque vous avez une idée générale. Souvent, de simples changements de position de l'appareil photo modifient la relation entre les éléments et on trouve des avantages à chacune des versions. Les dessins éclaircissent cela et je pense que je préfère, de peu, la quatrième.

6 Dans cette photo d'un homme sur le bord d'un lac, on ne voit pas connexion évidente avec l'immeuble de grande taille à l'arrière-plan. Toutefois, les volumes et le contraste des tonalités créent une connexion nette, malgré la séparation.

63

Juxtaposition

La juxtaposition est l'un des outils principaux de la composition photographique. Nous aimons l'idée de relation entre les choses, et la photographie est, par excellence, le moyen de donner de l'ordre au chaos visuel de notre vie quotidienne. Il suffit de suggérer, pour cela, une relation en plaçant les sujets ensemble dans la même image. C'est assez simple mais ça fonctionne.

L'action principale consiste à sélectionner le point de vue mais il est important de voir les connexions entre les différents éléments. C'est un domaine plus artistique que technique et qui ne s'accommode pas de quelques formules rapides. Toutefois, pour la composition, il est préférable de simplifier la scène et de couper tous les éléments qui pourraient faire diversion par rapport au sujet principal. Les autres suggestions données au fil de ce chapitre peuvent également aider.

Les techniques de juxtaposition diffèrent selon qu'on utilise un grand-angle ou un téléobjectif mais, dans les deux cas, elles peuvent être efficaces. Le traitement avec le grand-angle peut être utile lorsque le sujet au premier plan est petit et que vous souhaitez exagérer sa taille par rapport à un sujet plus large à l'arrière. De petits changements dans la position de votre appareil photo donnent des effets importants sur la composition, et une bonne profondeur de champ permet généralement d'obtenir une image nette.

Avec un téléobjectif, vous devez changer l'emplacement de l'appareil photo afin de trouver la relation entre les sujets mais, en vous déplaçant, vous apportez moins de modifications majeures à l'image qu'avec un grand-angle. L'effet de compression de la longue focale permet de rapprocher deux sujets et réduit également leur taille relative.

1

1 Une variation sur le thème « personnes dans un paysage ». La taille des personnes augmente l'impression de grandeur du reste de l'image. Ici, les deux femmes sous les tours Petronas de Kuala Lumpur symbolisent le contraste entre les traditions et le développement en Malaisie. Prise avec un 20 mm.

2 Une publicité pour un film, peinte à la main, où l'on reconnaît Leonardo Di Caprio, offre un point inattendu pour la réparation d'un taxi à trois roues à Khartoum. Prise avec une longueur de focale de 120 mm.

2

64

Utilisation du grand-angle

Le choix de la longueur de focale est influencé par le sujet et la situation mais également par le choix personnel dans la manière de travailler. En ce qui concerne les conditions techniques, on peut comparer un journaliste sportif sur la ligne de touche et un photographe de rue dans une scène fluide. Il peut ne pas y avoir de choix dans la longueur de focale ou, à l'inverse, tous les choix sont possibles.

Lorsque c'est possible, vous choisissez le type de longueur de focale parmi ces deux catégories : grand-angle ou téléobjectif. Des longueurs normales sont une troisième possibilité pour les photographes qui préfèrent la pureté des optiques et n'aiment pas les extrêmes. Même avec le grand-angle ou le téléobjectif, on trouve des sous-groupes allant d'extrême à modéré.

Il existe plusieurs manières d'appréhender un grand-angle, on peut penser à la couverture qu'il offre mais aussi à l'impression qu'il donne à l'image. Le grand-angle est idéal pour placer le spectateur en situation. Utilisez-le dans une foule afin de projeter le spectateur directement au centre de la scène.

1 Cette photo du cormoran au grand-angle (18 mm) inverse les proportions ; elle fonctionne bien parce que l'on ne s'attend pas à être si proche de l'oiseau. Le soleil fort de fin d'après-midi aide à donner de la définition avec une bonne profondeur de champ avec une ouverture de f11.

2 Sur ce marché birman avec l'appareil photo au niveau de l'œil et un objectif de 20 mm, j'ai pu obtenir un résultat fortement subjectif accentué par l'homme qui porte des poissons à une très petite distance.

65

Détachement au téléobjectif

Pour un même cadrage, une longue focale vous éloigne. Si la situation vous permet de choisir entre être proche avec un grand-angle ou être éloigné avec un téléobjectif, la distance communique en elle-même l'atmosphère de la photo. En tant de téléspectateur et lecteur de magazines, tout le monde connaît les différents résultats produits par un grand-angle, une focale normale et un téléobjectif. Même si on ne fait pas la différence techniquement, on ressent l'impression donnée par la distance.

Lorsque vous utilisez une longue focale, vous indiquez que vous êtes éloigné et que vous ne prenez pas totalement part à l'événement, car les longues focales sont froides et distantes dans tous les sens du terme. Ce détachement est particulièrement évident avec les reportages. Avec les grandes longueurs (500 mm et plus), on peut avoir l'impression de voir plus que ce à quoi on s'attend, comme avec les photos d'animaux sauvages.

1 Un pêcheur et des aides poussent un bateau dans le port de Moroni aux Comores. Prise à distance avec un objectif de 400 mm, la scène est froide, et l'activité physique se ressent moins que si la photo avait utilisé un grand-angle.

2 Photographiées avec un 180 mm, deux femmes cambodgiennes ramassent du bois sous une arche en vieilles pierres à Angkor, entourées par la forêt. La photo donne une sensation de distance et de ne pas être vu par les sujets.

66

Grand-angle pour la dynamique

1 En plus de permettre de voir tous les éléments essentiels dans cette scène d'un restaurant de Tokyo, un grand-angle (efl 18 mm) donne une structure forte avec les diagonales qui convergent.

2 Un groupe de Japonaises habillées comme leurs joueurs de basket préférés montre une autre utilisation d'un objectif efl 18 mm pour créer une structure dynamique. L'organisation des personnes suit la distorsion de l'objectif et la rend moins perceptible.

Nous avons vu quel type d'impression subjective donne le grand-angle à une scène, mais l'effet visuel sur la structure de l'image est tout aussi important. La distorsion provient de la compression d'un angle de vue très grand dans une image qui est regardée sous un format réduit (sur une page, un mur ou l'écran de l'ordinateur). En d'autres termes, la distance entre la scène et l'image est réduite. Cette distorsion disparaît si vous vous placez très près d'une impression de grande taille.

Plus la différence entre la couverture du grand-angle et la taille de l'image est importante, plus la distorsion est forte. Les optiques avec une longueur de focale effective (efl) de 20 mm ou inférieure créent des distorsions très importantes, et l'effet d'étirement augmente vers l'extérieur ce qui donne une dynamique. Utilisez le point de vue de manière efficace pour attirer l'attention à l'aide des diagonales et donner vie à l'image.

67

Remplir le cadre au téléobjectif

À l'inverse d'un grand-angle, une longue focale supprime la distorsion pour donner un effet d'aplatissement. Cela joue certainement un rôle dans la caractéristique de l'image mais ce que je veux mettre en avant ici, c'est une qualité utile pour la composition, la manière dont la longue focale permet d'échapper aux horizons, aux ciels et à l'uniformité d'un point de vue. Un même sujet photographié avec différentes longueurs de focale offre une relation différente avec les autres éléments, en particulier l'arrière-plan. Il est souvent possible d'obtenir une plus grande variété visuelle qu'avec un grand-angle.

1 Les couleurs de ce paysage de Toscane sont importantes pour l'image, en particulier les marrons et les noirs brillants. Toutefois, le succès repose sur l'objectif de 400 mm qui rapproche les arbres et les fait apparaître en tant qu'arrière-plan uniforme.

2-3 Le souk de Djedda en Arabie Saoudite est l'une des parties de la vieille ville encore conservée. La vue avec un angle de 45 mm souffre de la présence du ciel qui ne va pas avec l'image. Avec un 160 mm et un point de vue élevé, on se concentre sur les anciens bâtiments et leur agencement en se débarrassant du ciel.

Chapitre_ 06

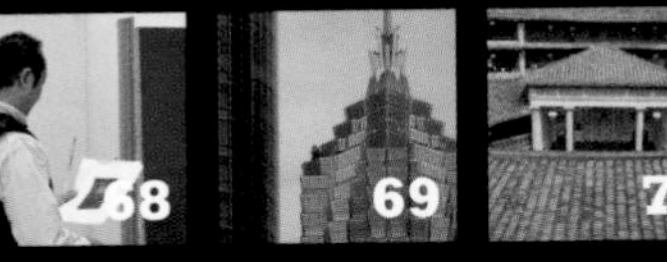

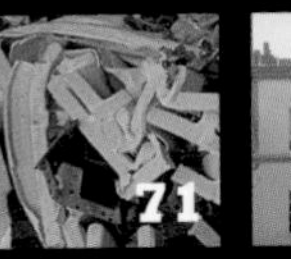

Assemblage

68

1-2 Dans un choix important d'images prises en séquence, huit ont été sélectionnées pour créer cette vue panoramique du studio de l'artiste chinois Shao Fan.

Assemblage – Spécialité du numérique

J'ai tendance à être méfiant lorsque la technologie veut inspirer la créativité. Il s'agit souvent de gadgets mais, en ce qui concerne l'assemblage, je fais une exception. La technologie est aujourd'hui impressionnante même si le concept reste simple : elle fait se chevaucher des images pour les assembler en une plus grande.

C'était une opération pratiquement impossible au début du numérique mais les logiciels d'assemblage ont simplifié l'opération. La liberté de création est double : on peut créer des panoramas jusqu'à 360 degrés et réaliser des images très grandes avec une très haute résolution. Cette technologie apporte une expérience différente avec les photos imprimées. Elle a un effet important sur la photographie d'art puisque beaucoup d'artistes l'utilisent pour créer de grandes photos détaillées.

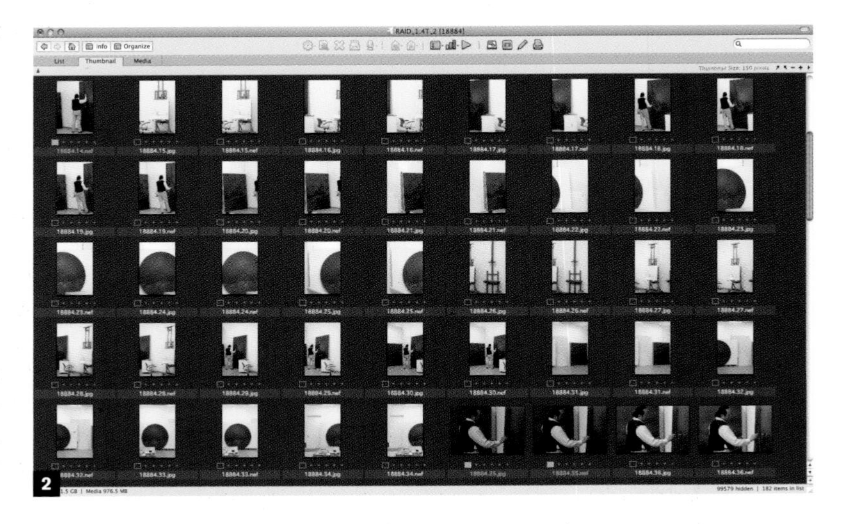

69

Assemblez en grand

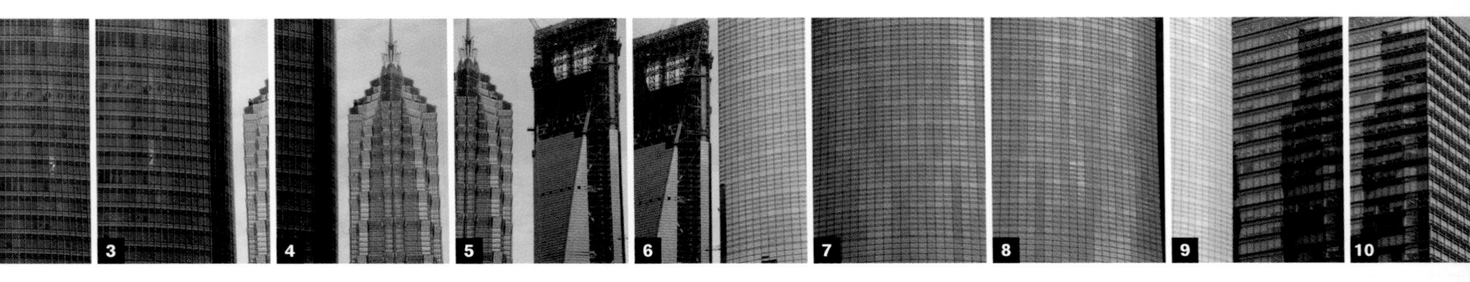

L'assemblage d'images a pour effet d'augmenter la taille de l'image finale, ce qui signifie qu'il n'y a aucune limite à la résolution. Par exemple, plutôt que d'employer un 50 mm, essayez avec un zoom de 100 mm de photographier la même vue en sections qui se chevauchent. Vous obtenez un fichier d'une taille quatre fois plus grande, comme si vous aviez pris la photo avec un capteur de cette nouvelle résolution. À l'époque du film, lorsqu'il était nécessaire d'obtenir des images en haute résolution, il fallait, par exemple, utiliser un film 4 × 5 pouces. Actuellement, si une haute résolution est nécessaire, vous pouvez acheter un dos numérique pour un appareil photo moyen ou grand format, mais cela coûte cher. Si vous êtes prêt à affronter quelques inconvénients, l'assemblage est une solution sans frais permettant d'obtenir des images de haute résolution. Prenez n'importe quelle scène (elle doit être assez statique) et divisez-la en segments – plus la focale est longue, plus il y a de segments. Un angle de vue important pris au téléobjectif peut demander beaucoup de photos, faites le calcul.

Un objectif de 15 mm couvre un angle de vue de 110 degrés, c'est-à-dire un grand-angle. Imaginez que vous preniez le même angle de vue avec un objectif de 120 mm qui couvre 20 degrés d'angle de vue : cela donne 64 segments. Avec les parties qui se chevauchent, nécessaires à l'assemblage, on peut compter 100 images. Si vous utilisez un appareil photo de 10 mégapixels, vous obtenez une image de 31 000 × 21 000 pixels après assemblage.

Bien entendu, il y a des inconvénients. D'abord, cela demande du temps et c'est un peu du bricolage. Ensuite, si quelque chose bouge dans la scène, certaines images ne conviendront pas. Des logiciels efficaces peuvent gérer cela, mais le traitement demande du temps et de la puissance de calcul. L'exemple précédent occupe environ 2 Go.

Dans tous les cas, l'assemblage est réalisable à tout instant et nécessite peu de chose. Il est préférable d'utiliser un trépied qui permet la rotation de l'appareil photo autour d'un point afin d'éviter les erreurs de parallaxe, surtout avec un avant-plan très proche.

1 **Une image unique des gratte-ciel de Pudong, dont le World Financial Center de Shanghai, prise avec un 80 mm sur un appareil de 12 mégapixels mesure 4 100 × 2 800 pixels.**

2-10 **En prenant plusieurs images avec le même appareil et un objectif de 200 mm (plus de deux fois la valeur de la photo d'origine), on obtient une image de 15 300 × 4 000 pixels soit l'équivalent de 61 mégapixels.**

70

Assemblez en largeur

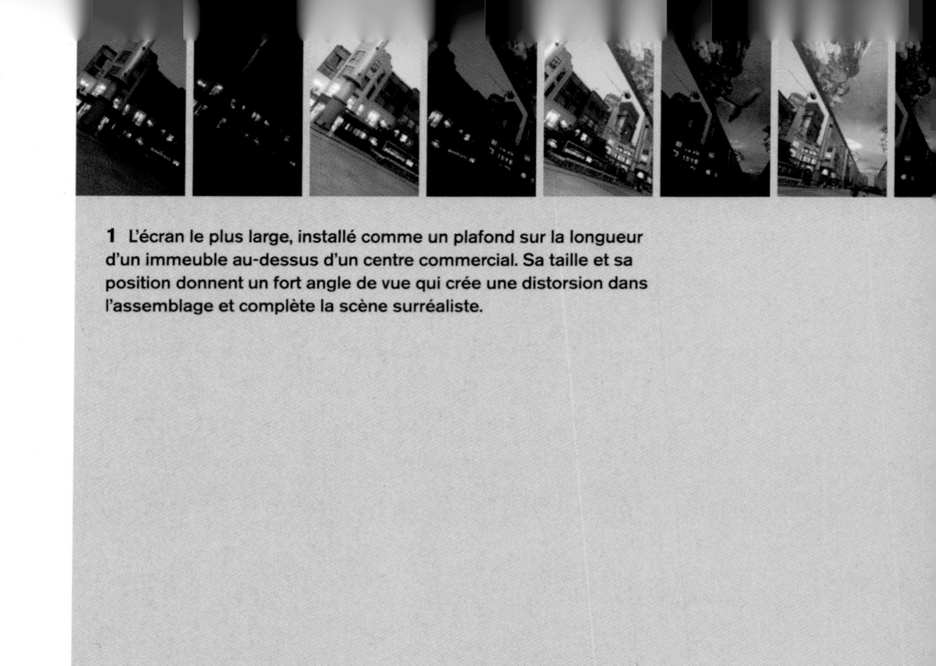

1 L'écran le plus large, installé comme un plafond sur la longueur d'un immeuble au-dessus d'un centre commercial. Sa taille et sa position donnent un fort angle de vue qui crée une distorsion dans l'assemblage et complète la scène surréaliste.

L'utilisation principale de l'assemblage reste la création d'images panoramiques, et cela peut être très enthousiasmant pour de nombreuses raisons. Il s'agit d'images qui sont plus longues que hautes et, s'il n'existe pas réellement de taille qui permet de classer une photo dans la catégorie panoramique, on considère que les proportions 3:1 ou plus larges en font partie. Pourquoi est-ce que les panoramas sont populaires, ainsi que les formats larges au cinéma et à la télévision ? Certainement parce qu'on a tendance à voir les scènes étendues, comme les paysages, de cette manière, horizontalement, et parce que cela donne aux yeux le temps d'explorer. Bien entendu, il n'y a aucune limite à l'étendue de la photo, vous pouvez parfaitement ajouter des images en faisant tourner l'appareil photo même sur 360 degrés.

La dynamique d'un panorama est différente de ce à quoi on est habitué et, pour la composition, vous pouvez vous inspirer de ce que font les réalisateurs de cinéma avec le cinémascope, par exemple, en séparant les centres d'intérêt horizontalement et en plaçant la composition de gauche à droite. Contrairement au ratio standard 3:2, un panorama peut contenir deux, voire trois, sujets dans la même composition. Une autre méthode consiste à placer un premier plan captivant pour équilibrer l'arrière-plan et conduire l'œil dans l'image.

2 Également en Chine, une maison circulaire dans la province du Fujian. La largeur et le point de vue exigu demandent un panorama en assemblage. Avec un objectif 18 mm et un format vertical, cet assemblage utilise cinq images ainsi qu'une seconde séquence pour augmenter la profondeur.

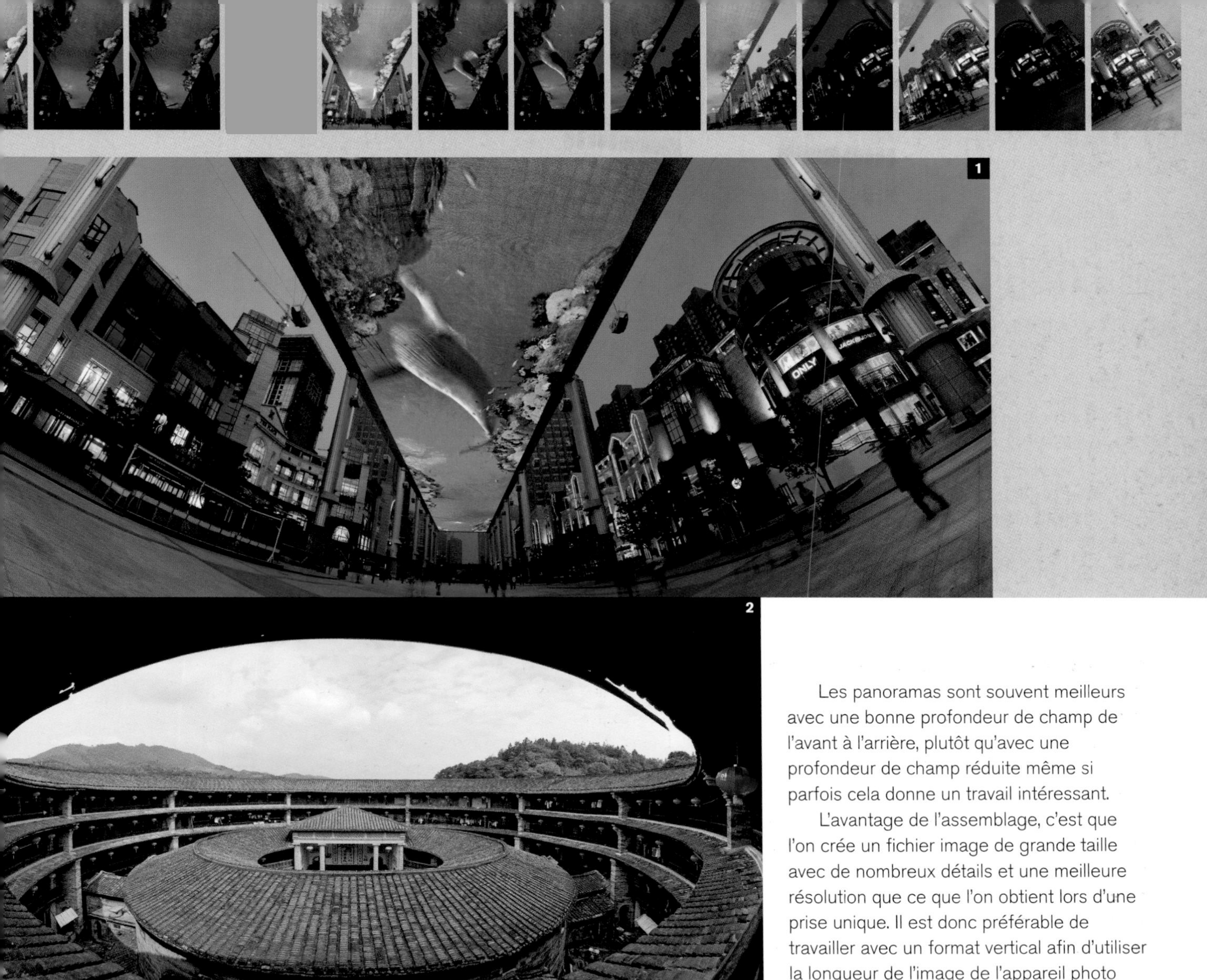

Les panoramas sont souvent meilleurs avec une bonne profondeur de champ de l'avant à l'arrière, plutôt qu'avec une profondeur de champ réduite même si parfois cela donne un travail intéressant.

L'avantage de l'assemblage, c'est que l'on crée un fichier image de grande taille avec de nombreux détails et une meilleure résolution que ce que l'on obtient lors d'une prise unique. Il est donc préférable de travailler avec un format vertical afin d'utiliser la longueur de l'image de l'appareil photo pour couvrir la hauteur du panorama. Il existe des accessoires pour fixer l'appareil photo sur le trépied.

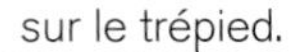

71

Juxtapositions efficaces

Pour cette vue d'une installation artistique dans une galerie, quatre images sont juxtaposées sur environ 40 %. Il y a suffisamment de détails pour que logiciel reconnaisse le contenu.

L'assemblage s'effectue en trois étapes. D'abord, le logiciel doit trouver les zones qui se juxtaposent dans les images puis les modifier afin qu'elles s'accordent parfaitement. Ensuite, il faut mélanger les tonalités afin qu'elles soient homogènes. Enfin, il faut combiner les images en une seule.

Pour la première étape, il est nécessaire d'avoir suffisamment de points identiques dans les images afin que les zones juxtaposées puissent être reconnues. Dans l'idéal, il faudrait que ces zones ne soient pas trop grandes pour qu'on ne soit pas obligé de prendre plus de photos que nécessaire. Mais il n'existe pas de règles concernant cette taille, en partie parce que les logiciels sont tous différents mais surtout parce que la qualité des détails dépend de la scène elle-même. Les détails nets sont préférables ; de plus, les logiciels rencontrent des problèmes avec les zones sans détails comme les ciels ou les murs blancs. Une zone d'environ 40 % est assez sûre mais elle peut varier en fonction des détails de la scène. Personnellement, pour plus de sécurité, je préfère la simplicité en utilisant la moitié pour la juxtaposition. En pratique, cela signifie qu'un objet sur le bord de l'image sur une prise se retrouve pratiquement au milieu de la prise suivante et ainsi de suite. Comme je procède toujours ainsi, je peux photographier un panorama rapidement et sans avoir à réfléchir.

72

Utilisez des paramètres cohérents

Comme indiqué précédemment, la deuxième étape de l'assemblage consiste à mélanger les couleurs et les tonalités. Si la balance des blancs est identique pour chacune des images, la tâche est plus simple pour le logiciel. Cela s'applique également aux autres paramètres, dont l'exposition. Pour cela, il est conseillé de prendre les séquences en mode manuel. Il peut aussi être nécessaire d'effectuer une séquence de test pour vérifier que tous les paramètres sont corrects.

Avec un panorama sur 360 degrés, il y a des risques que les sources de lumière se trouvent sur les clichés (en particulier en extérieur avec du soleil). Par conséquent, un réglage unique pour l'exposition et la couleur peut provoquer des problèmes dans les ombres et les lumières hautes. En d'autres termes, cela dépasse la plage dynamique de l'appareil photo (voir Astuce 15). La solution habituelle est de prendre des séquences avec des expositions différentes pour chacune des images et de combiner les résultats à l'aide de techniques comme le HDR.

Cela dit, si vous utilisez le format Raw, ce n'est pas très important, il faudra un peu plus de temps pour effectuer les réglages des couleurs lors de la conversion. Une technique intéressante consiste à changer la balance des couleurs progressivement. Imaginez une scène dans laquelle la température des couleurs varie, par exemple la lumière du jour par une fenêtre et un éclairage incandescent de l'autre côté de la pièce. En postproduction, vous pouvez envisager d'équilibrer la balance mais, si vous avez choisi le mode Auto lors de la prise de la séquence, le logiciel tente de faire cela automatiquement.

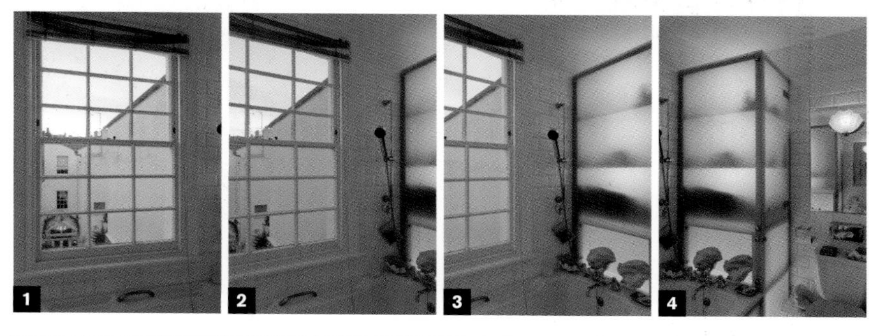

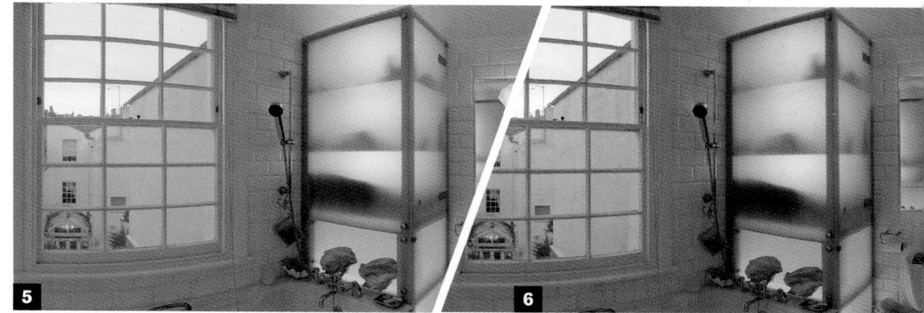

1-8 Les quatre images ont été photographiées au format Raw et avec une balance des blancs automatique. La température de couleur change de gauche à droite (1 = 5 500 K, 2 = 4 500 K, 3 = 4 000 K, 4 = 3 300 K). Une fois que le logiciel a effectué l'assemblage, le résultat donne un bon équilibre entre l'extérieur bleuté et l'intérieur jaune. Une retouche finale, avec remplacement des couleurs permet de s'occuper de la teinte rouge sur la droite. En comparaison, on voit un assemblage utilisant une balance pour les lampes incandescentes.

73

Trouvez le point nodal

Le logiciel qui assemble deux images adjacentes effectue une opération dans laquelle les images sont modifiées afin qu'elles puissent s'assembler. La condition, pour cela, est que la position relative des éléments de chaque image doit être la même. L'erreur de parallaxe, provoquée par un faible déplacement de l'appareil photo, est le problème majeur. Il est certain que l'appareil photo doit bouger mais il s'agit uniquement de rotation. S'il y a un déplacement, en particulier avec un grand-angle, certains objets du premier plan apparaissent dédoublés. Il faut que l'appareil photo pivote autour de ce qu'on appelle le point nodal de l'objectif. Vous pouvez vous le représenter comme le centre de l'optique (même si, en raison de la conception de certaines optiques, cela n'est pas si simple). Avec un zoom, cela varie en fonction de la longueur de focale.

Il existe une méthode simple pour le trouver avec n'importe quelle optique. Les supports pour les images assemblées sont ajustables et permettent de bloquer l'appareil photo à différentes positions. Lorsque le point nodal se trouve précisément sur le point de rotation, il n'y a pas de problème de parallaxe. Pour trouver ce point, placez l'appareil photo sur le support et sur le trépied afin que vous puissiez voir dans le viseur deux barres verticales, une au premier plan et une autre à distance mais toutes deux proches. En regardant dans l'objectif, faites pivoter l'appareil photo et regardez l'espace entre les deux barres. S'il s'agrandit ou s'il diminue, déplacez légèrement l'appareil photo sur le support, vers l'avant ou l'arrière, jusqu'à ce que cet espace reste stable, comme détaillé ici.

1-3 **Ces deux images (1 et 2) ont été prises avec un 14 mm pour établir le point nodal. Avec la fenêtre de gauche comme référence, notez la différence de parallaxe entre le cadre de la fenêtre et la fenêtre opposée. L'appareil photo a été déplacé jusqu'à ce que l'on ne voie plus d'erreur de parallaxe.**

4 Le point nodal de l'appareil photo est sur le centre de rotation du support pour le panoramique..

Chapitre_ 07

Prises multiples

74

Bracketing, la sécurité

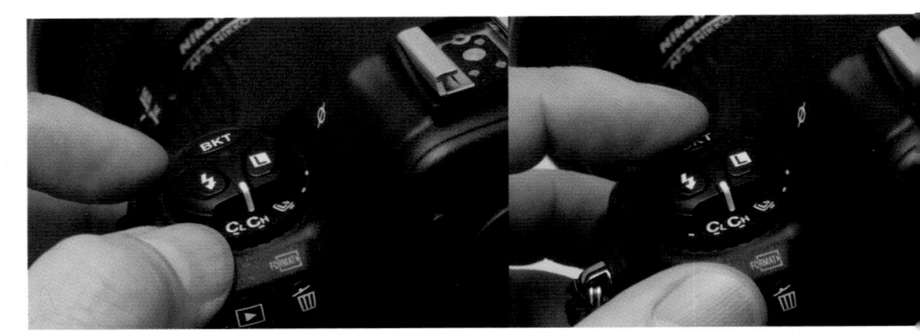

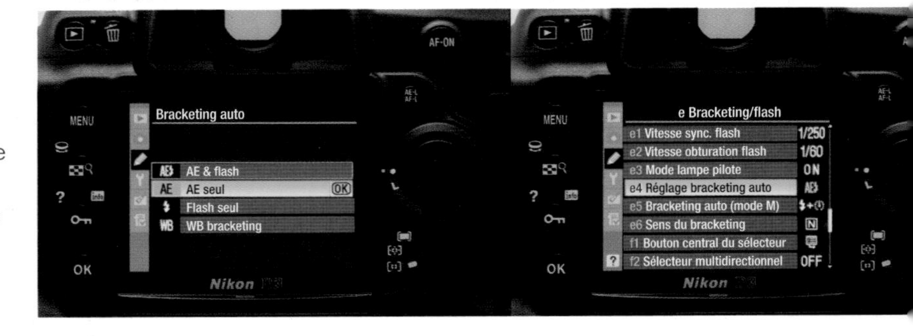

Pendant longtemps, le bracketing a été une sécurité pour les professionnels, mais l'exposition n'est pas le seul paramètre qui peut profiter de cette technique. Elle possède de nouveaux atouts en numérique puisque de nombreux autres paramètres peuvent être programmés. Actuellement, le bracketing fait référence à une fonctionnalité de l'appareil photo qui permet de prendre automatiquement plusieurs images ; toutefois, il reste possible de prendre cette séquence manuellement. Lors du bracketing, vous pouvez modifier la valeur ISO, par exemple, ou le point de netteté ou encore la balance des blancs (même si le format Raw rend inutile cette dernière opération).

Le numérique change la manière dont on peut utiliser la séquence d'images. Au départ, l'idée était de pouvoir choisir la meilleure image mais, avec la postproduction, on peut combiner les images pour obtenir un contrôle poussé en conservant le meilleur de chacune des images. Par exemple, le bracketing sur l'exposition permet d'obtenir une seule image dans laquelle on a à la fois les lumières hautes les mieux exposées et les ombres les plus détaillées. Les logiciels correspondants existent déjà et utilisent soit une forme de fusion des images, soit la technique plus complexe d'image HDR (High Dynamic Range). Cet ouvrage traite de la photo et pas des techniques de postproduction, mais vous pourrez adapter votre technique de prise de vue en sachant ce que vous pourrez faire par la suite.

Tout cela fait partie du sujet de la prise multiple de photos.

Chaque reflex permet d'utiliser le bracketing pour l'exposition mais de plus en plus de modèles offrent aussi cette technique pour d'autres paramètres, comme l'ISO ou la balance des blancs. Même si les fonctionnalités varient d'un modèle à l'autre, le bracketing est une méthode efficace pour obtenir les images nécessaires pour le HDR.

75

Séquences alignées

1 Une table de designer sur des roues de vélo. Sans avoir décidé de la manière d'utiliser la séquence, je savais que je voulais plusieurs images de la table avec les roues dans différentes positions. L'appareil photo était sur un trépied. L'image est produite à l'aide de plusieurs calques avec des opacités différentes pour donner l'effet

Au centre de la technique de prise de multiples photos, on trouve le besoin sans cesse croissant d'une séquence d'images pour réaliser des ajustements. Pour certaines techniques, les besoins sont rigoureux, l'exposition et les autres paramètres doivent être identiques et la seule variable est le temps. Les zooms posent un problème parce que la géométrie de l'image ne doit pas varier. Par conséquent, il ne faut pas toucher à la bague de zoom ; du ruban adhésif peut s'utiliser pour plus de sécurité.

En ce qui concerne les ajustements sur les images, les logiciels ont fortement évolué et permettent de reconnaître le contenu et de corriger de petites erreurs d'alignement. Ce point est illustré par les photos d'Éphèse qui ne sont pas correctement alignées parce qu'elles ont été faites sans trépied. Elles datent d'avant l'apparition d'un logiciel permettant de les assembler. Il s'agit d'un excellent exemple pour deux autres sections : l'Astuce 4, qui indique qu'on photographie pour le futur, et l'Astuce 97, sur l'anticipation du traitement. Je savais qu'il serait possible de faire quelque chose par la suite. En fait, lors du premier traitement de ces images, j'ai dû les aligner manuellement (ce qui était fastidieux) puis effacer chacun des calques. Quatre ans après, Adobe sortait des fonctions d'alignement automatique et d'empilement permettant de réaliser la tâche en moins d'une minute.

2-7 Pour ces ruines d'Éphèse, je n'avais pas de trépied. Le site n'allait pas se vider des visiteurs avant la fermeture, je suis donc resté dans la même position pendant plusieurs minutes et j'ai photographié en essayant de conserver un cadrage identique (en notant la position de la construction par rapport aux bords et aux angles). En utilisant l'alignement automatique et le mode d'empilement, j'ai pu supprimer pratiquement toutes les personnes.

76

Fusion d'expositions

C'est un domaine à surveiller, car je pense qu'il y aura de plus en plus de procédures permettant de fusionner les expositions afin d'augmenter la plage dynamique globale. Le principe est assez simple, mais l'exécution l'est un peu moins : on mélange deux images d'exposition différentes en en conservant les meilleures parties. Avec une séquence d'images, on utilise les zones les mieux exposées de chacune d'elles. Il existe plusieurs logiciels pour cette opération ; Photomatix est dédié à cette technique et au HDR. Dans Photoshop, le mode d'empilement offre les méthodes moyenne et médiane, qui sont plus limitées mais restent utiles. Les choix étant multiples, il est sans doute préférable de se contenter de cliquer et de choisir le meilleur résultat plutôt que d'entrer dans le détail technique des algorithmes.

1-5 Le hall principal de la Western Union à New York est difficile à prendre. Il est important d'être fidèle à l'éclairage d'origine et aux reflets qui ajoutent une source de lumière aux photos. Quatre photos ont été prises espacées de 2 stops et de 1/3 à 13 secondes : la plus sombre contient les lumières hautes et la plus claire le détail des ombres. Il existe plusieurs méthodes pour combiner les photos : ici, le choix s'est porté sur le mélange d'expositions de Photomatix.

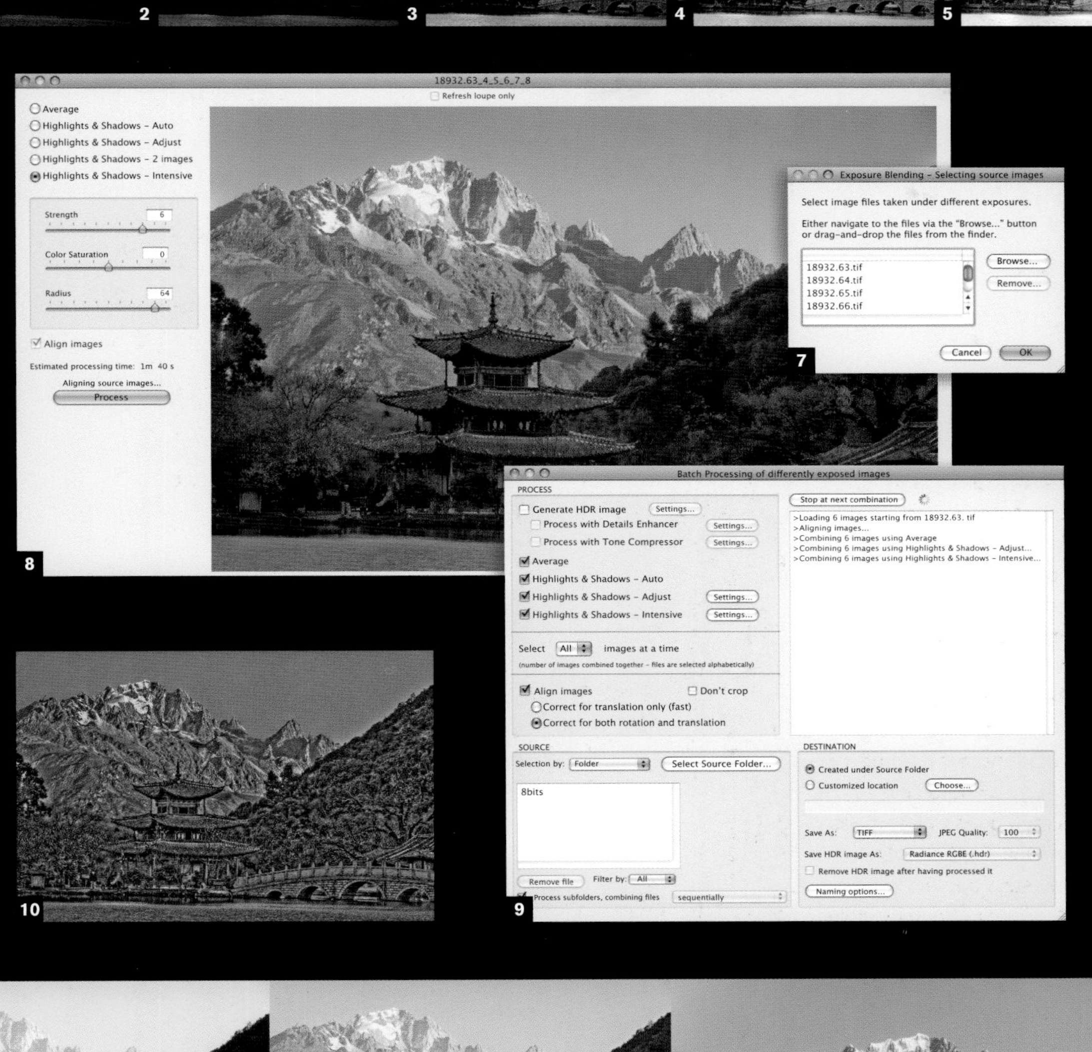

Plusieurs possibilités existent pour mélanger les expositions, comme ici avec Photomatix.

1-6 Six images espacées de 1 stop sont ouvertes. L'option d'alignement est activée afin de gérer les éventuels déplacements de l'appareil photo sur le trépied et que l'on ne verrait pas.

7-9 Il y a cinq options de mélange, dont certaines utilisent le tonemapping propriétaire.

Le choix final est toujours une question de goût. Dans ce cas, l'image finale (11) est une combinaison des fonctions Average et Adjust (avec le calque supérieur partiellement effacé sous Photoshop à l'aide d'une brosse large et douce).

77

HDR – le meilleur et le pire

Le système HDR (*High Dynamic Range*) permet de prendre une large plage lumineuse dans un fichier spécial puis de le traiter afin de l'utiliser et de le voir « normalement ». Normalement signifie avec 8 bits par canal afin de l'afficher sur un écran (8 bits) ou de l'imprimer (l'impression sur papier utilise même moins de 8 bits). L'imagerie HDR a été créée pour gérer les problèmes de la compression des plages dynamiques qui vont au-delà de la plage normale de 8 à 9 stops des reflex numériques de qualité ou des scènes qui contiennent une source lumineuse.

En photographie, pour prendre de grandes plages dynamiques, la seule méthode consiste à prendre des séquences espacées de 2 stops. Les images sont ensuite mélangées en une seule image HDR avec 32 bits par canal. Celle-ci ne peut s'afficher sur un moniteur normal et l'image doit être compressée en 16 ou 8 bits. La technique utilisée pour cette opération s'appelle le tonemapping et permet de souligner le contraste et la luminosité des différentes parties de la scène. Le HDR résout le problème des lumières hautes brûlées et des ombres sans détails. Cependant, parfois, des logiciels – comme Photomatix – ne sont pas utilisés pour cette fonction de base mais pour leurs algorithmes de tonemapping, ce qui peut produire des résultats étranges. Cela n'est pas gênant si c'est le résultat souhaité, mais souvenez-vous que le HDR est conçu, à la base, pour régler un problème.

1

4

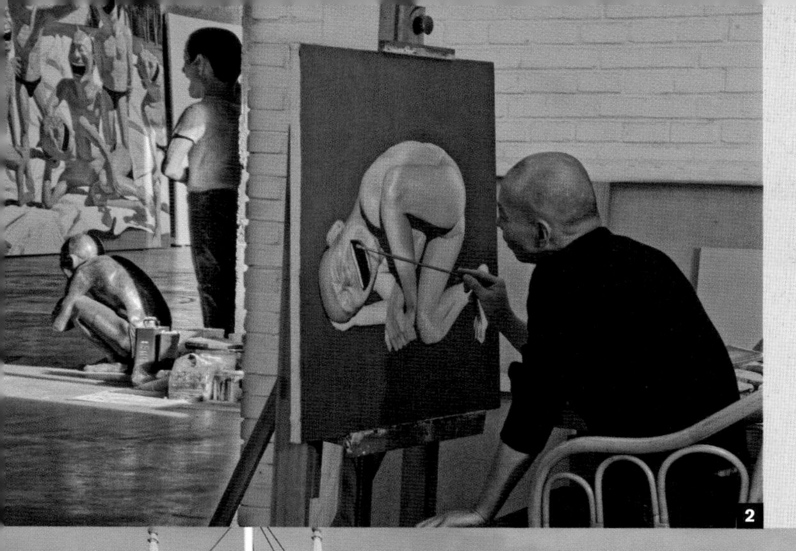

1 Une utilisation classique et indispensable du HDR, l'intérieur d'une crypte avec une plage dynamique d'environ 15 stops.

2 Un logiciel HDR peut gérer les sujets en mouvement en utilisant une image plutôt que les autres dans la zone du mouvement, comme ici avec le portrait de l'artiste chinois Yue Minjun.

3 The dynamic range in this scene, in the courtyard of London's Royal Academy, is not overwhelming, making it more of an MDR (Medium Dynamic Range) image. Exposure blending could have been used instead.

4 En poussant les différents contrôles de tonemapping au maximum, on transforme l'image de l'Astuce 76 en quelque chose d'étrange et criard.

78

Prise de vue HDR

Le principe du HDR est de prendre une plage d'expositions allant des lumières hautes jusqu'aux ombres les plus profondes. Bloquez l'appareil photo si c'est possible ou maintenez-le immobile (le logiciel peut réaligner les images jusqu'à un certain point). Une différence d'exposition de 2 stops est suffisante ; en dessous, des images seront perdues. Commencez avec l'exposition la plus sombre en utilisant les avertissements de l'appareil photo pour trouver l'exposition qui contient les lumières hautes. Augmentez l'exposition d'une image à la fois puis vérifiez l'histogramme jusqu'à ce que le bord gauche se trouve au milieu de l'échelle. L'erreur courante est d'arrêter de photographier trop tôt dans la séquence.

Si vous n'utilisez pas de trépied et si vous comptez sur le logiciel HDR pour aligner les images, une technique plus rapide consiste à utiliser le bracketing avec la plus grande plage d'exposition disponible. De nombreux appareils photo n'ont qu'un stop d'écart au maximum mais cela ne change pas la qualité de la fusion HDR. Photographiez avec la plus grande vitesse possible pour obtenir un bon alignement.

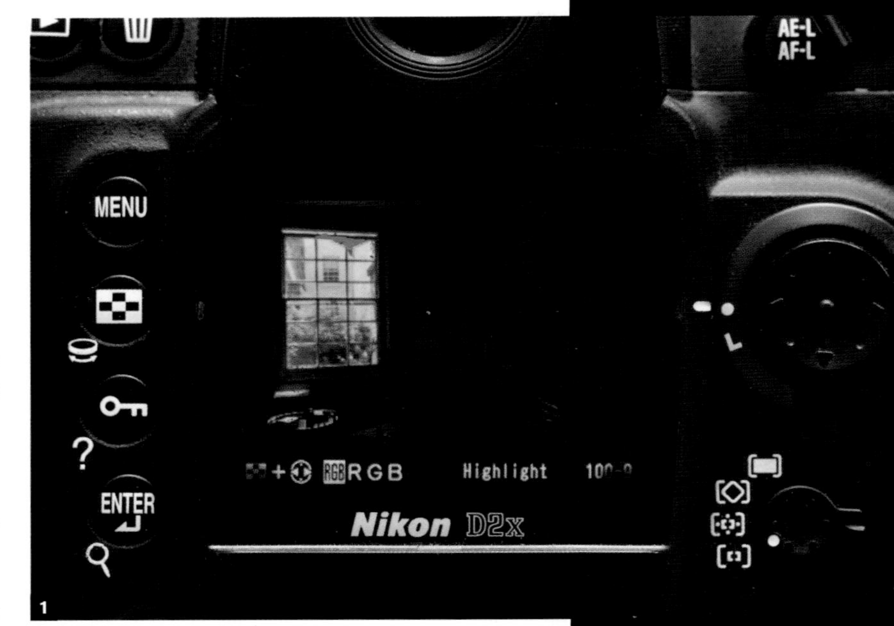

1

1 Effectuez la première prise à l'exposition la plus sombre pour éviter de couper les lumières hautes.

2 Continuez de photographier en affichant l'histogramme.

3 Augmentez le temps d'exposition jusqu'à ce que le côté gauche de l'histogramme se trouve au milieu de l'échelle.

79

Une lumière, plusieurs directions

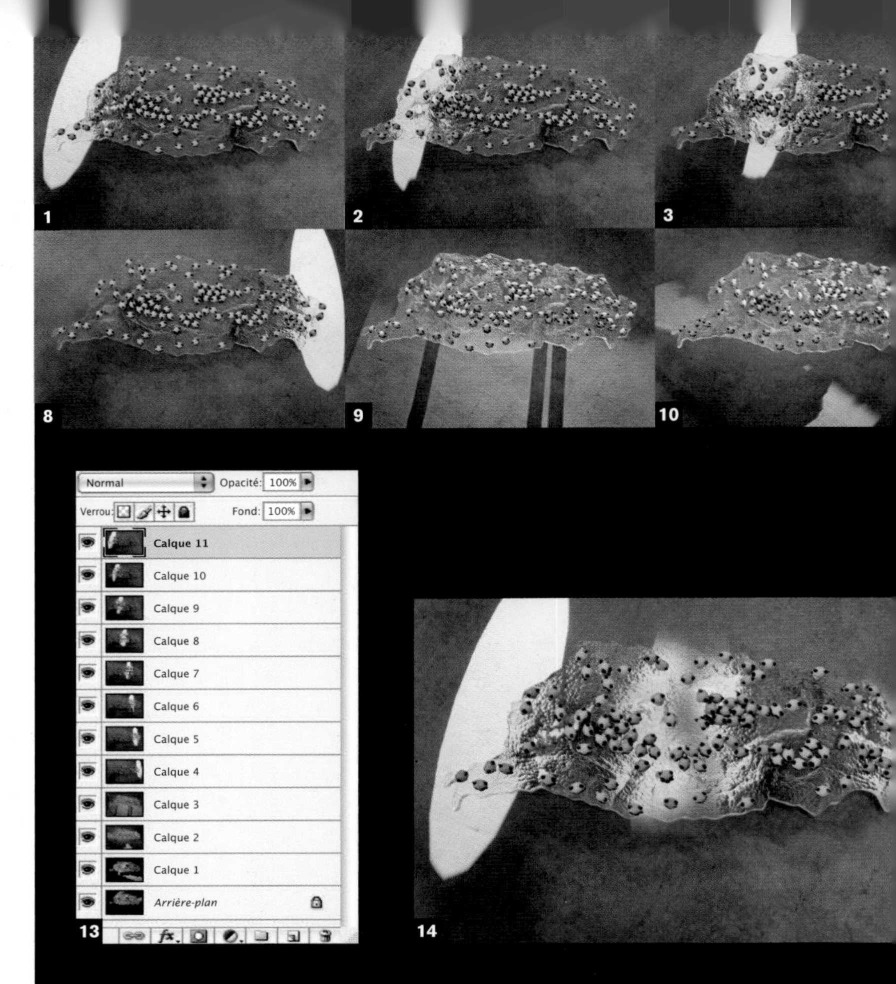

Une astuce intéressante, pour différentes raisons, consiste à appliquer des éclairages différents à une succession d'expositions puis de combiner les images par la suite. L'avantage, c'est que vous transportez uniquement une lumière, et la plus simple des lumières est un flash qui peut se placer sur l'appareil ou à côté. Généralement, je transporte la lumière incandescente que l'on voit ici, avec des optiques qui permettent de la diriger.

Vous pouvez utiliser une lumière unique pour réaliser plusieurs clichés en éclairant différentes zones de la scène à chaque photo. Les prises sont ensuite combinées sur l'ordinateur pour produire une image qui semble être éclairée en plusieurs points. Cette technique permet d'éviter de porter du poids mais aussi les conflits entre plusieurs éclairages. Elle rend possible la suppression des ombres non souhaitées. Il n'y a aucune limite au nombre de « lumières » qu'on peut utiliser dans une scène.

La lampe utilisée pour ces photos, un Dedolight, est petite, compacte et permet d'obtenir un faisceau précis.

16 Pour cette peinture aux tonalités subtiles, deux photos ont été réalisées avec l'éclairage à gauche puis à droite. Dans les deux cas, la lumière était placée de manière que le faisceau frôle la surface. Un détail agrandi (17) montre le relief des pinceaux, mais avec les lumières hautes et les ombres, les reliefs s'annulent sur les deux photos.

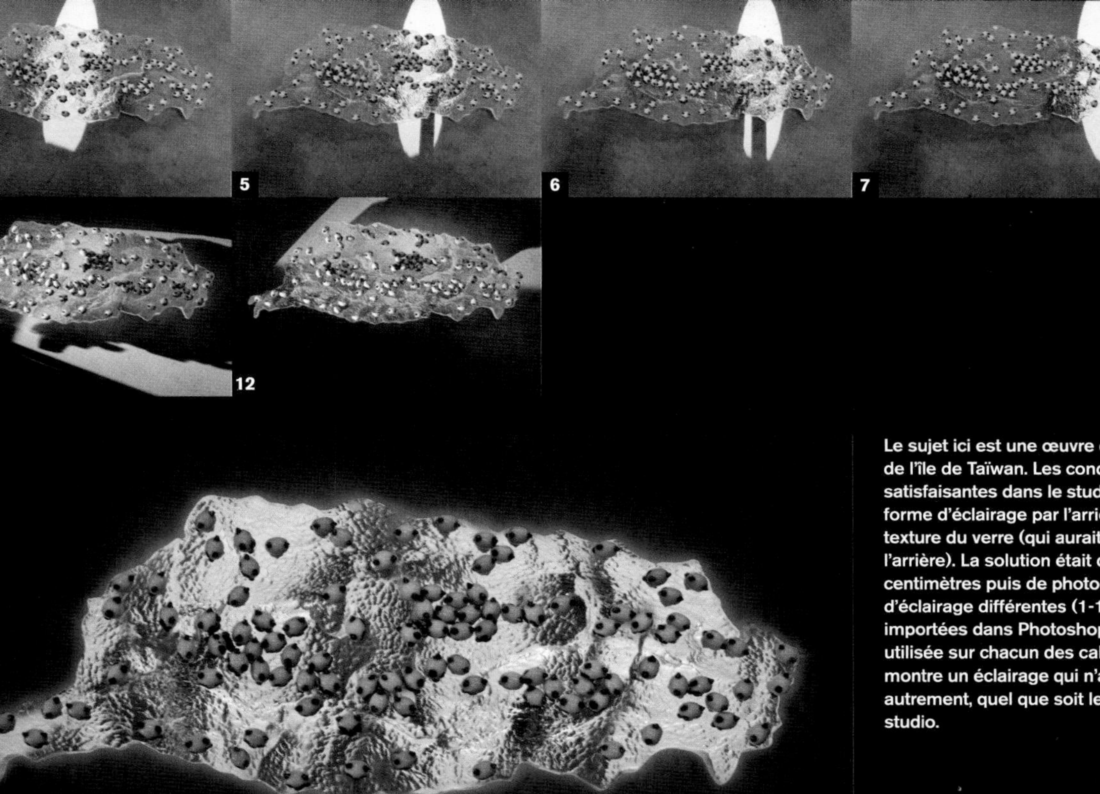

Le sujet ici est une œuvre d'art, en verre, présentant la forme de l'île de Taïwan. Les conditions de prise de vue n'étaient pas satisfaisantes dans le studio de l'artiste. On souhaitait une forme d'éclairage par l'arrière mais aussi un contrôle sur la texture du verre (qui aurait disparu avec un éclairage par l'arrière). La solution était de hausser l'œuvre de quelques centimètres puis de photographier avec 12 positions d'éclairage différentes (1-12). Les images ont ensuite été importées dans Photoshop (13), et une brosse large et douce utilisée sur chacun des calques (14). L'image finale (15) montre un éclairage qui n'aurait pas pu être obtenu autrement, quel que soit le nombre de lampes utilisées en studio.

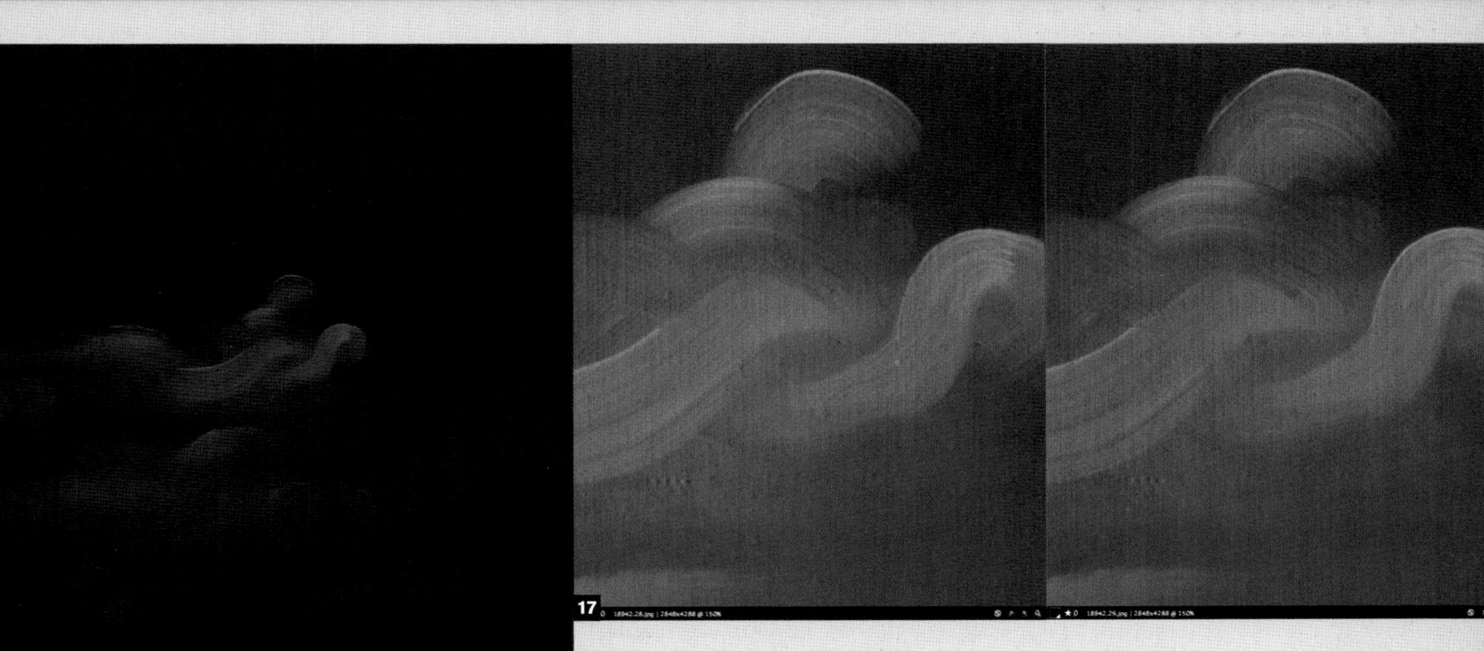

80

Séquences de suppression du bruit

Contrairement au bruit sur les grandes zones sombres, celui qui apparaît lors de la prise de vue est aléatoire. Lorsque vous prenez plusieurs images identiques, vous pouvez le supprimer facilement parce qu'il est variable. L'astuce consiste à combiner les différentes images en faisant une moyenne. Il existe plusieurs méthodes pour cela et plusieurs types de calcul de la moyenne. La moyenne arithmétique additionne la totalité de la série puis divise le résultat par le nombre d'éléments de cette série. La médiane, quant à elle, recherche l'occurrence la plus courante dans une série, celle qui apparait le plus grand nombre de fois. En général, c'est cette méthode qui est la mieux adaptée à la réduction de bruit, à condition d'avoir suffisamment d'images.

Voici les deux manières de traiter sept images identiques. Dans la première, une moyenne arithmétique est appliquée à l'aide de Photomatix. Dans la seconde, les images sont placées dans un empilement de calques et une médiane est utilisée.

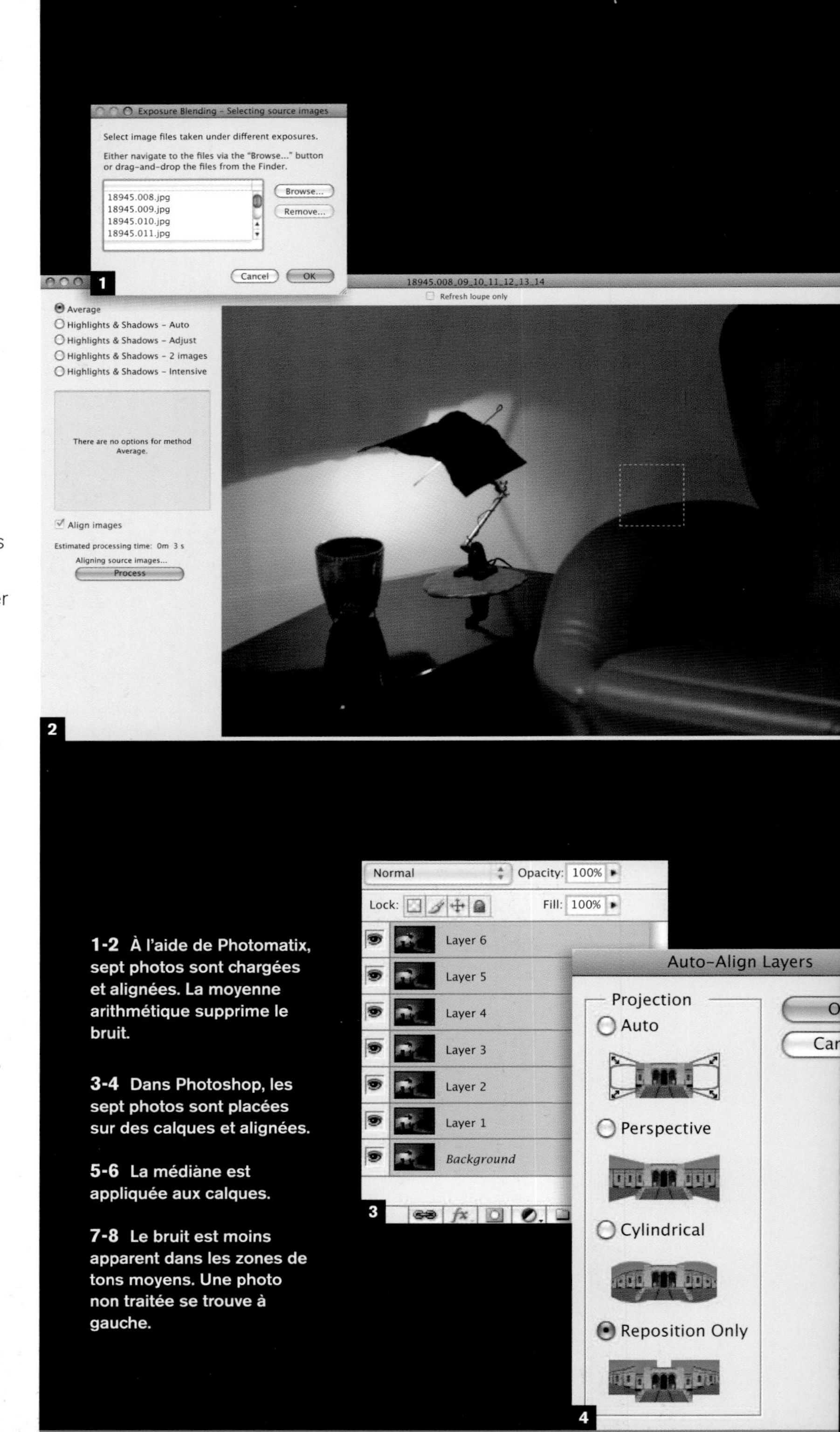

1-2 À l'aide de Photomatix, sept photos sont chargées et alignées. La moyenne arithmétique supprime le bruit.

3-4 Dans Photoshop, les sept photos sont placées sur des calques et alignées.

5-6 La médiane est appliquée aux calques.

7-8 Le bruit est moins apparent dans les zones de tons moyens. Une photo non traitée se trouve à gauche.

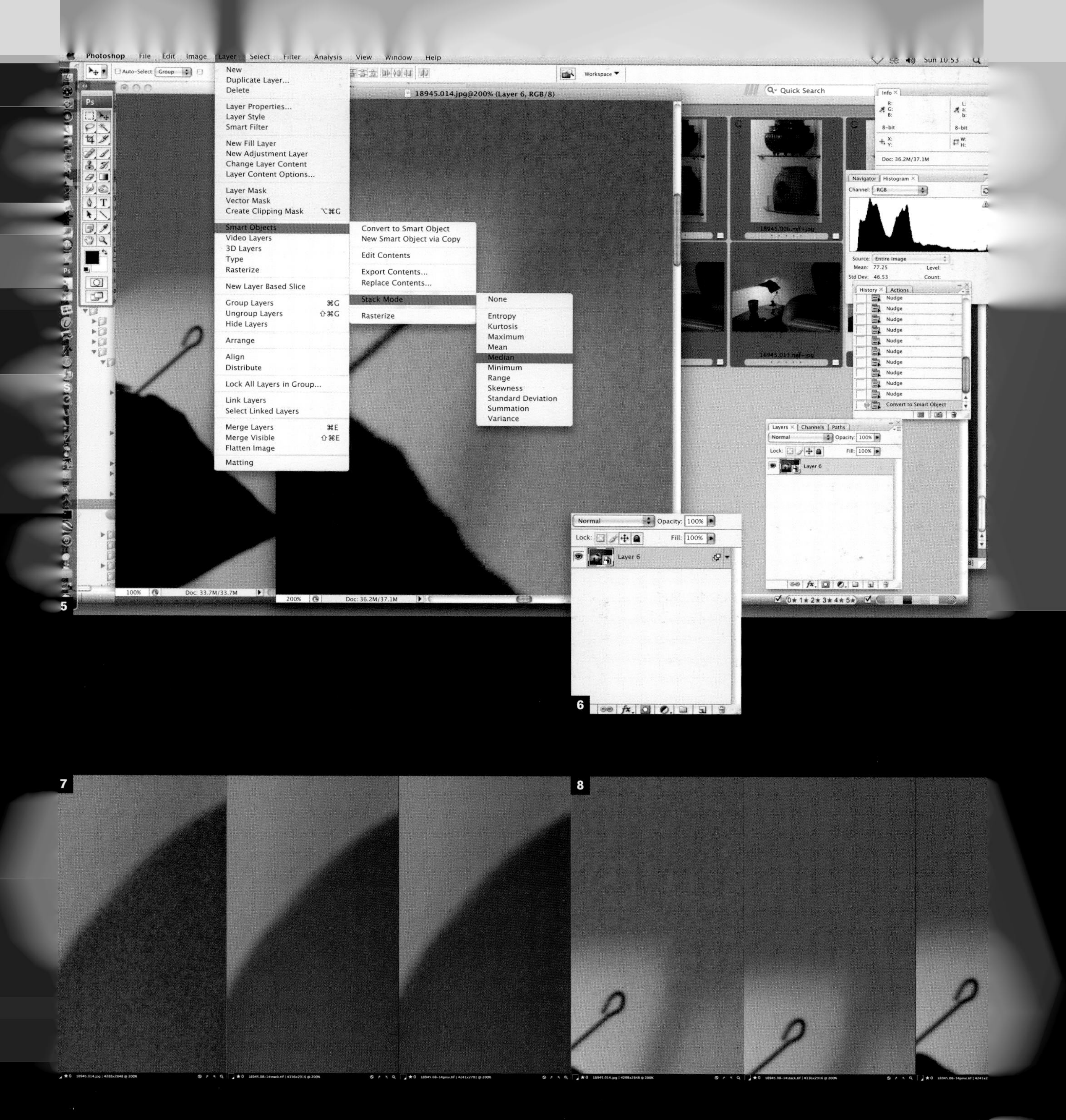
Photoshop File Edit Image Layer Select Filter Analysis View Window Help
New
Duplicate Layer...
Delete
Layer Properties...
Layer Style
Smart Filter
New Fill Layer
New Adjustment Layer
Change Layer Content
Layer Content Options...
Layer Mask
Vector Mask
Create Clipping Mask ⌥⌘G
Smart Objects
Video Layers
3D Layers
Type
Rasterize
New Layer Based Slice
Group Layers ⌘G
Ungroup Layers ⇧⌘G
Hide Layers
Arrange
Align
Distribute
Lock All Layers in Group...
Link Layers
Select Linked Layers
Merge Layers ⌘E
Merge Visible ⇧⌘E
Flatten Image
Matting
Convert to Smart Object
New Smart Object via Copy
Edit Contents
Export Contents...
Replace Contents...
Stack Mode
Rasterize
None
Entropy
Kurtosis
Maximum
Mean
Median
Minimum
Range
Skewness
Standard Deviation
Summation
Variance
18945.014.jpg@200% (Layer 6, RGB/8)
Quick Search
Layer 6
Normal
Opacity: 100%
Lock:
Fill: 100%
5
6
7
8

81

Fusion de niveaux ISO

Imaginez une scène faiblement éclairée (par exemple, la nuit) d'un sujet immobile, comme un paysage, mais avec tout de même un mouvement que vous souhaitez prendre, une personne qui marche, par exemple. Vous pouvez augmenter la valeur ISO jusqu'à ce que cela permette une vitesse d'obturation suffisante pour figer le mouvement. Dans ce cas, le reste de l'image souffrira de bruit.

Si vous ne craignez pas de combiner deux versions de l'image, vous pouvez conserver le meilleur des deux. La plus grande partie de l'image est obtenue avec une petite vitesse d'obturation et une petite valeur ISO, mais la zone en mouvement est nette avec une forte valeur ISO. Ici, la composition finale doit se faire manuellement. C'est assez simple : empilez les calques puis supprimez l'un ou l'autre afin de conserver un minimum de bruit autour du mouvement. Ce bruit n'est certainement pas gênant mais si vous souhaitez le supprimer en postproduction, faites-le uniquement sur ce calque.

Comme pour la plupart des opérations en plusieurs prises, cette technique nécessite que la scène soit statique afin que les images soient plus ou moins alignées. L'exemple ici est typique, une photo d'un intérieur, au trépied, avec la petite zone du bar dont le mouvement ne peut être pris avec une faible valeur ISO.

1 Pour cet intérieur d'un bar de Shanghai, il fallait une image de qualité et sans bruit pour imprimer ce sujet, l'architecture, dans un livre de grande taille. À 100 ISO, l'exposition à f11 était de 5 secondes. Pour donner de la vie à l'image, je voulais qu'y apparaisse un barman. Cela demandait une vitesse de 1/15 avec le barman qui bougeait lentement et une valeur de 1 000 ISO, avec un bruit inévitable.

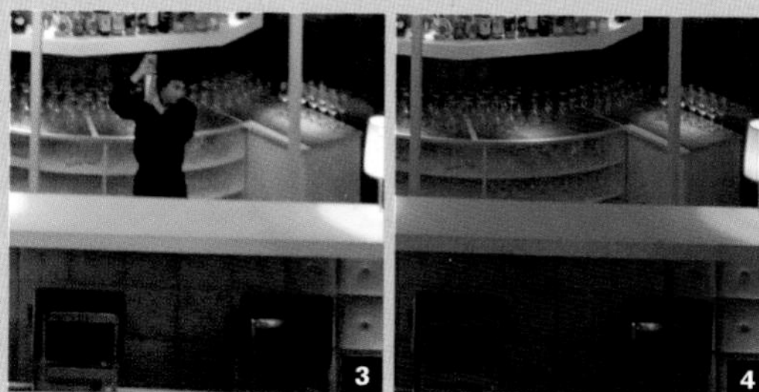

2 Les deux versions de l'intérieur sont traitées avec un convertisseur Raw (DxO Optics Pro).

3-4 Les valeurs ISO donnent une différence dans la balance des blancs qu'il faut traiter.

5 À l'aide de Courbes, on fait correspondre la tonalité et la balance des couleurs des deux images.

6 La version avec la grande valeur ISO est placée sur un calque, au-dessus de celle dont la valeur ISO est plus faible. On commence par effacer la zone autour de la personne avec une petite brosse et on utilise une plus grande brosse pour effacer le reste.

82

Supprimez la foule

Dans une scène, les sujets en mouvement et non souhaités peuvent s'éliminer en prenant plusieurs photos dans le temps. Cette technique s'utilise couramment pour supprimer la foule, et le principe est identique à la suppression de bruit. Dès lors qu'il y a suffisamment de mouvement pour voir chaque partie statique de l'image sur les différents clichés, on peut utiliser la médiane, laquelle, comme indiqué précédemment, permet de conserver la valeur le plus courante, dans ce cas, l'arrière-plan.

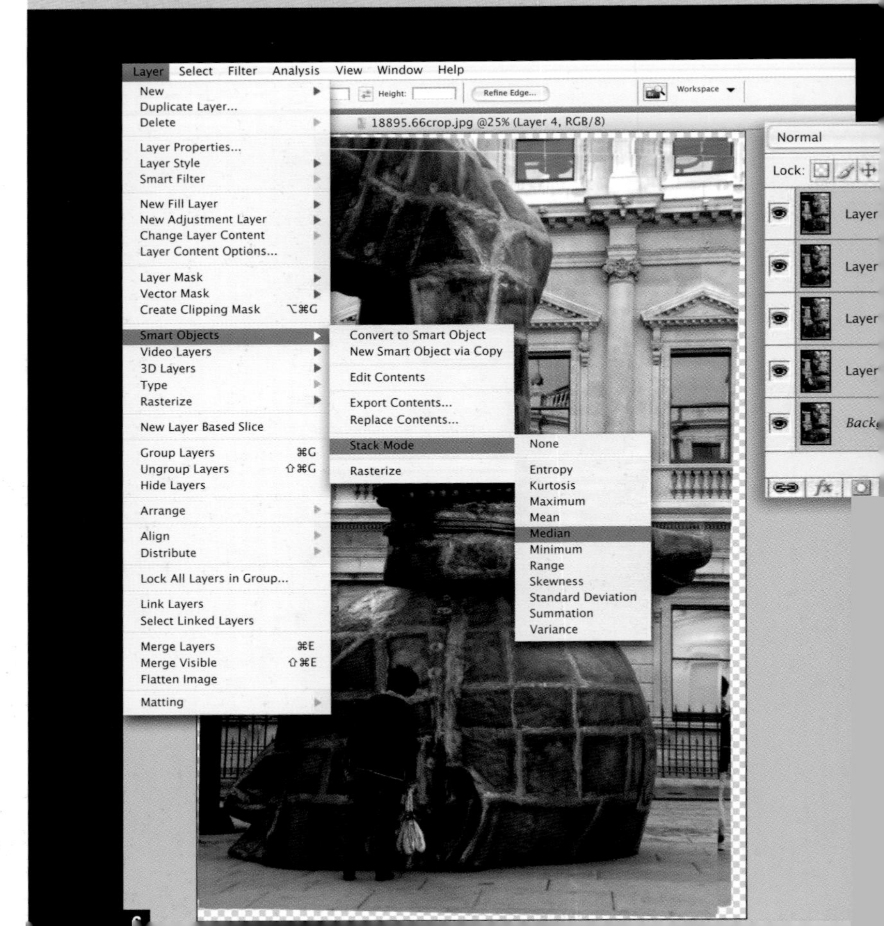

1-5 Cette sculpture ne pouvait pas être photographiée sans personne passant devant, mais, avec cinq images, chacune des parties est dégagée.

6 Dans Photoshop, les images sont empilées, alignées, et le mode Médiane est sélectionné.

7 Le mode Médiane supprime les variables, c'est-à-dire la foule. Un recadrage est nécessaire parce que l'appareil photo était tenu à la main et que l'alignement a provoqué une bascule de l'image.

83

Profondeur de champ infinie

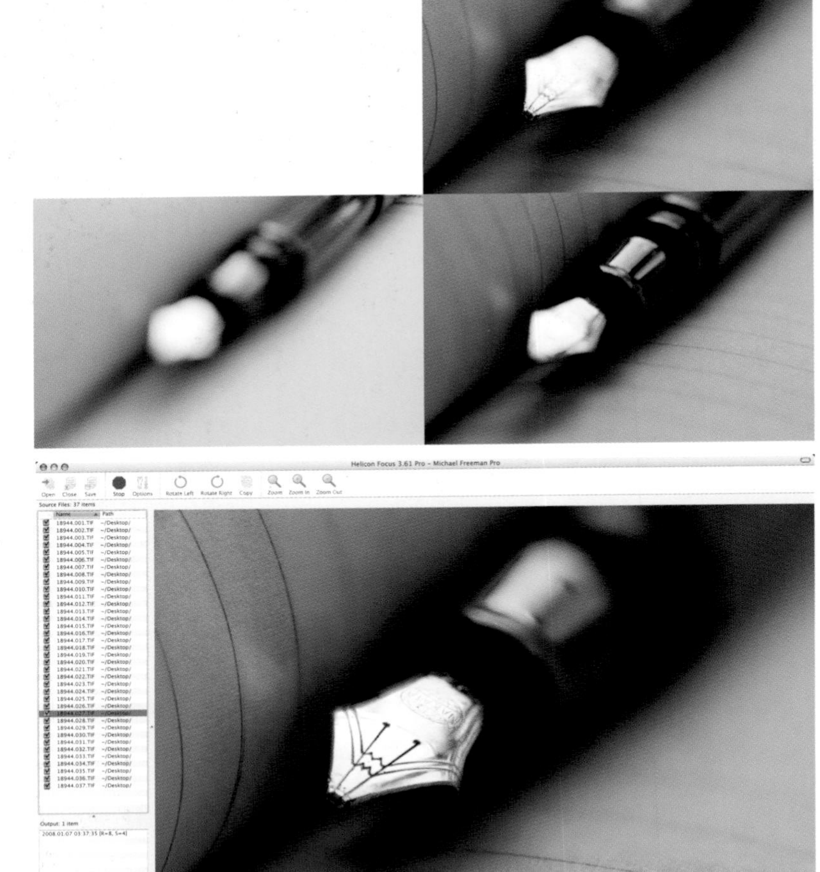

La prise de multiples photos peut s'utiliser pour augmenter la profondeur de champ. Cette dernière est généralement difficile à maîtriser en macro photo, où même la plus petite ouverture ne permet pas de rendre net tout ce qui se trouve dans le champ de vision. Avec une échelle plus grande, il arrive qu'on rencontre aussi des problèmes, par exemple avec des paysages pris avec une longue focale. Dans l'idéal, on souhaiterait que la profondeur de champ soit infinie mais c'est impossible puisque les objectifs ont des limites.

Un excellent algorithme vient en aide puisqu'il permet de sélectionner les parties les plus nettes d'une séquence d'image où la mise au point est déplacée. Ce n'est pas une tâche simple puisqu'en changeant le point de netteté on change aussi l'échelle des objets. Le logiciel présenté ici est Helicon Focus, qui est spécialisé dans cette opération et offre une interface simple et de bonnes performances dans la correspondance, la mise à l'échelle et la fusion des images.

Pour prendre les photos, il faut placer l'appareil photo sur un trépied puis faire une mise au point manuelle sur le point le plus près ou le plus loin, puis effectuer une série de photos en changeant la mise au point. Plus le pas entre les points est petit, plus l'image finale sera nette, par conséquent, il est souhaitable de prendre un grand nombre d'images. L'image est également meilleure si vous prenez les photos quelques stops avant la valeur maximale afin d'éviter la perte de résolution due à la diffraction.

L'intérêt de cette technique est qu'il n'y a aucune retouche et aucune altération avec Photoshop. Il s'agit simplement de photos gérées par un processus complexe de fusion qui ouvre de nombreux horizons créatifs. Attention, toutefois, dans une longue séquence, les lumières fortes peuvent être floues au point de baver sur les parties nettes de l'image. Pour régler le problème, il faut utiliser une seconde fusion avec une plage d'images plus courtes.

Stylo
Un stylo plume est photographié avec un 105 mm. La mise au point la plus proche possible se trouve sur le dessus de la plume, à 13 mm de l'objectif. La mise au point a ensuite été déplacée par pas d'environ 1,5 mm sur 98 images pour obtenir une distance de 150 mm. Il vaut mieux prendre plus d'images que nécessaire afin d'éviter les zones floues. L'ouverture est de f11 pour obtenir une bonne résolution et une profondeur de champ moyenne.

Réalisez des films

1 Une scène sur la vieille ville de Lijiand au Yémen. Quelques photos sont prises avec un intervalle de 5 minutes pour évaluer l'angle de la lune qui permettait de trouver le point où elle devait disparaître. Une centaine d'images ont ensuite été prises pendant une demi-heure à intervalle de 20 secondes, quelques minutes avant qu'elle n'apparaisse en haut de l'image et jusqu'à ce que le dernier halo disparaisse.

2 Les images sont combinées en un film QuickTime à l'aide de FrameThief sur Mac.

Les logiciels permettant de combiner les images pour en faire un film sont nombreux. Si vous avez une solution permettant de déplacer lentement l'appareil photo ou si votre scène change lentement, les séquences espacées dans le temps peuvent être transformées en film de grande qualité. Un appareil de 10 mégapixels produit une image d'environ 3 000 × 2 500 pixels, ce qui est supérieur à la résolution de la télévision haute définition (1 920 × 1 080 pixels). Si vous utilisez le format Raw et que vous le traitiez correctement, la qualité peut être spectaculaire. Tout ce qui vous est nécessaire, c'est beaucoup de patience, un trépied et une scène dont vous pouvez prévoir l'évolution dans le temps. Les possibilités sont infinies. L'exemple ici est un coucher de lune, pris de ma chambre d'hôtel. J'avais une autre idée d'exemple mais j'ai réalisé que cela pouvait demander une ou deux semaines et que ce livre ne pouvait pas attendre.

La technique la plus simple consiste à utiliser une montre pour prendre des photos à intervalles réguliers à moins que votre appareil ne permette d'automatiser les photos. La lecture ne nécessite pas de logiciel coûteux et peut-être le possédez-vous déjà, par exemple, Photoshop Element 6.0 (Windows). Il existe aussi des logiciels gratuits comme Monkey Jam et des sharewares comme FrameThief (40 dollars). Vous pouvez effectuer une recherche sur Internet.

Chapitre_ 08

Lumières faibles

85

Le bon capteur

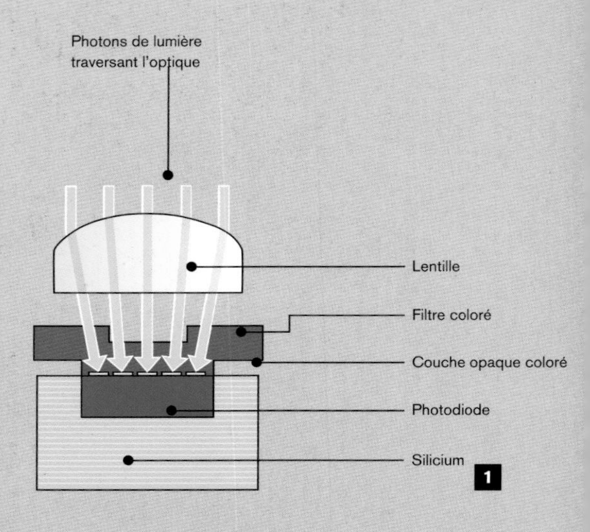

Récemment, des avancées technologiques concernant les capteurs ont été réalisées, que ce soit dans leur fabrication ou dans leur capacité à enregistrer l'information. Par conséquent, les appareils photo ne présentent pas tous les mêmes performances en lumière faible, où le bruit est le problème essentiel. Le meilleur moyen de garantir des images avec peu de bruit lors de l'utilisation de valeurs ISO élevées consiste à acheter un appareil photo adapté. Cela signifie, comme vous pouvez vous y attendre, un modèle haut de gamme et cher. Même s'il existe de nombreuses méthodes pour améliorer les images, le plus efficace reste d'investir dans le bon matériel.

Il n'est pas possible de donner une fourchette de prix puisque la gamme de matériel change rapidement. Toutefois, il est intéressant de comprendre les différences consécutives aux tailles des capteurs, d'autant que de plus en plus de fabricants proposent des appareils avec des capteurs pleine taille 24 × 36 mm. Sans trop entrer dans les détails techniques, sachez que les lois de la physique sont inaltérables et que la taille du capteur a un impact direct sur celle des cellules. Pour un nombre identique, les cellules (des pixels) sont plus grandes sur un capteur de grande taille, reçoivent plus de photons et sont donc moins sensibles au bruit. Par conséquent, cela permet d'utiliser des valeurs ISO élevées – 3 200 ISO et plus –, avec pratiquement aucun bruit.

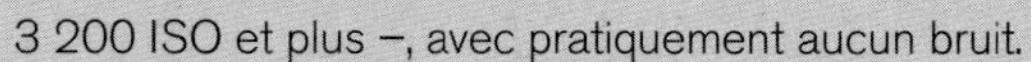

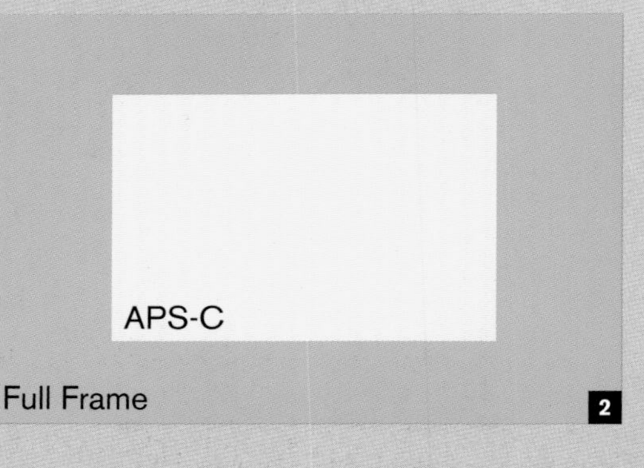

Vous vous demandez certainement comment faire la différence entre les appareils photo. Évidemment, vous devez être prudent lorsque vous lisez les indications des fabricants ; il vaut mieux se fier aux tests de sources indépendantes. Recherchez des bancs d'essai avec des comparatifs d'images placées côte à côte. Vous devez aussi vous fier à votre œil et, lorsque vous avez réduit la liste des choix possibles, vous pouvez demander au vendeur (si vous n'achetez pas en ligne) de tester les appareils photo. Prenez une carte mémoire, faites des séquences d'images identiques avec chaque modèle. Comparez ces images chez vous : les différences que vous remarquez dans le bruit sont les seules qui importent.

1 Chaque pixel d'une image est produit par une cellule du capteur. La lumière provenant de l'optique crée sur la photodiode une charge convertie en information numérique. Plus la photodiode est grande et moins il y a de bruit.

2 Un capteur pleine taille permet de réduire le bruit en utilisant des photodiodes plus grandes par rapport à un capteur plus petit avec le même nombre de pixels.

86

Décidez des priorités

La photo en lumière faible est particulière puisqu'il faut aller vers les limites techniques. Par définition, il n'y a jamais assez de lumière pour utiliser les réglages idéaux de l'appareil photo. On dégrade toujours quelque chose puisque c'est un domaine de la photographie où il faut faire des compromis. Il existe trois éléments variables : la vitesse d'obturation, l'ouverture et la sensibilité (ISO), et vous devez choisir lequel est prioritaire. En faible luminosité, vous devez connaître les limites acceptables pour chacun des paramètres. Cela signifie que vous devez vous familiariser avec, au moins, les caractéristiques du bruit de votre appareil photo, votre faculté à maintenir l'appareil immobile et la vitesse d'obturation nécessaire pour les mouvements dans l'image. Ensuite, vous établissez des priorités en fonction des situations et de la qualité minimale que vous acceptez pour l'image. En fonction du contenu de l'image, dans certains cas, les flous de mouvement sont tolérables mais, dans d'autres cas, il est préférable d'avoir plus de bruit. Vous seul pouvez en décider.

Le bruit est une nouveauté apparue avec la photo numérique, il attire donc l'attention. Mais ce n'est pas le seul problème à gérer, il y a aussi les mouvements de l'appareil ou du sujet et les difficultés à obtenir une image nette avec de grandes ouvertures. Une image avec du bruit à cause d'une valeur ISO élevée peut être travaillée alors que les autres images à problème (floues ou sous-exposées) sont inutilisables.

1 Pour éviter le bruit avec cette photo de paysage urbain, une faible valeur ISO était indispensable, ainsi qu'une petite ouverture pour avoir une bonne profondeur de champ. L'utilisation d'un trépied était donc nécessaire.

2 Une prise de vue à la main avec une faible luminosité nécessite une vitesse d'obturation rapide pour éviter les mouvements. Cela impose une valeur ISO importante et d'accepter le bruit de l'image.

87

Réduisez le bruit

Pour les photographes, le bruit est visuel, ce n'est pas un problème technologique. On peut illustrer cela avec un exemple simple. Le bruit d'une image n'aura plus d'importance si vous reproduisez celle-ci avec une taille suffisamment petite pour qu'il ne soit pas visible. Par conséquent, en tant que photographe, vous devez penser au bruit tel qu'il apparaît et non pas tel qu'il est créé.

Cela fait référence à la manière dont l'image sera affichée, ce qui peut être différent de l'affichage sur votre ordinateur pour le posttraitement. Avec un facteur d'agrandissement de 100 % à l'écran, le bruit est visible mais si l'image est destinée à l'impression, à une galerie ou à un magazine, l'encre utilisée (et la texture du papier) le réduira. Voici différentes manières de réduire le bruit, dont certaines peuvent se combiner.

1. Utilisez la plus petite valeur ISO possible (voir Astuce 88).
2. Utilisez un objectif rapide (voir Astuce 90).
3. Utilisez une image de petite taille (voir Astuce 93).
4. Pour l'impression, prenez en compte la texture du papier.
5. Utilisez la fonction de réduction de bruit de l'appareil photo pour les valeurs ISO élevées et les longues expositions.
6. Pour les sujets statiques, utilisez un trépied et une longue exposition avec une valeur ISO faible (voir Astuce 92).
7. Prenez plusieurs clichés puis utilisez un filtre de médiane (voir Astuce 80).
8. Utilisez un convertisseur Raw correct avec une procédure de suppression de la mosaïque (voir Astuce 98).
9. Appliquez un filtre de réduction de bruit en posttraitement (voir Astuce 99).
10. Assemblez plusieurs images pour obtenir un fichier de plus grande taille (voir Astuce 69).
11. Prenez deux photos, une avec une valeur ISO faible et l'autre, avec une valeur ISO élevée et combinez-les (voir Astuce 81).

1 La plupart des appareils photo intègrent un réducteur de bruit pratique mais qui provoque le perte de détails. Faites un test avec une valeur ISO élevée sur une scène aux tons moyens sans détails.

2 Le bruit provoqué par une longue exposition peut être supprimé à la source. Il faut simplement attendre que l'appareil photo prenne « l'image noire » pour le processus de suppression.

88

Recherchez le bruit de votre appareil

Au cours de ce chapitre, il est fortement question du bruit. En effet, c'est un problème qui concerne tous les photographes qui utilisent des valeurs ISO supérieures à la moyenne. Au final, ce qui est important, c'est l'aspect du bruit créé par votre appareil photo. Comme il s'agit essentiellement d'un problème avec le signal électronique et non pas d'un problème de structure du support (comme le grain des films), il est différent d'un appareil à l'autre. Il est étonnant de voir que de nombreux photographes cherchent des renseignements sur le bruit dans le manuel de l'appareil photo, les magazines ou les forums en ligne. En fait, la seule manière de cerner le problème est de tester son appareil photo.

Le test ici utilise une zone sombre sans détails (une ombre sur un mur, sans mise au point), puisque cela permet de voir le bruit avec différentes valeurs ISO. Mais vous pouvez aussi faire la mise au point sur des détails que vous avez l'habitude d'utiliser dans vos photos.

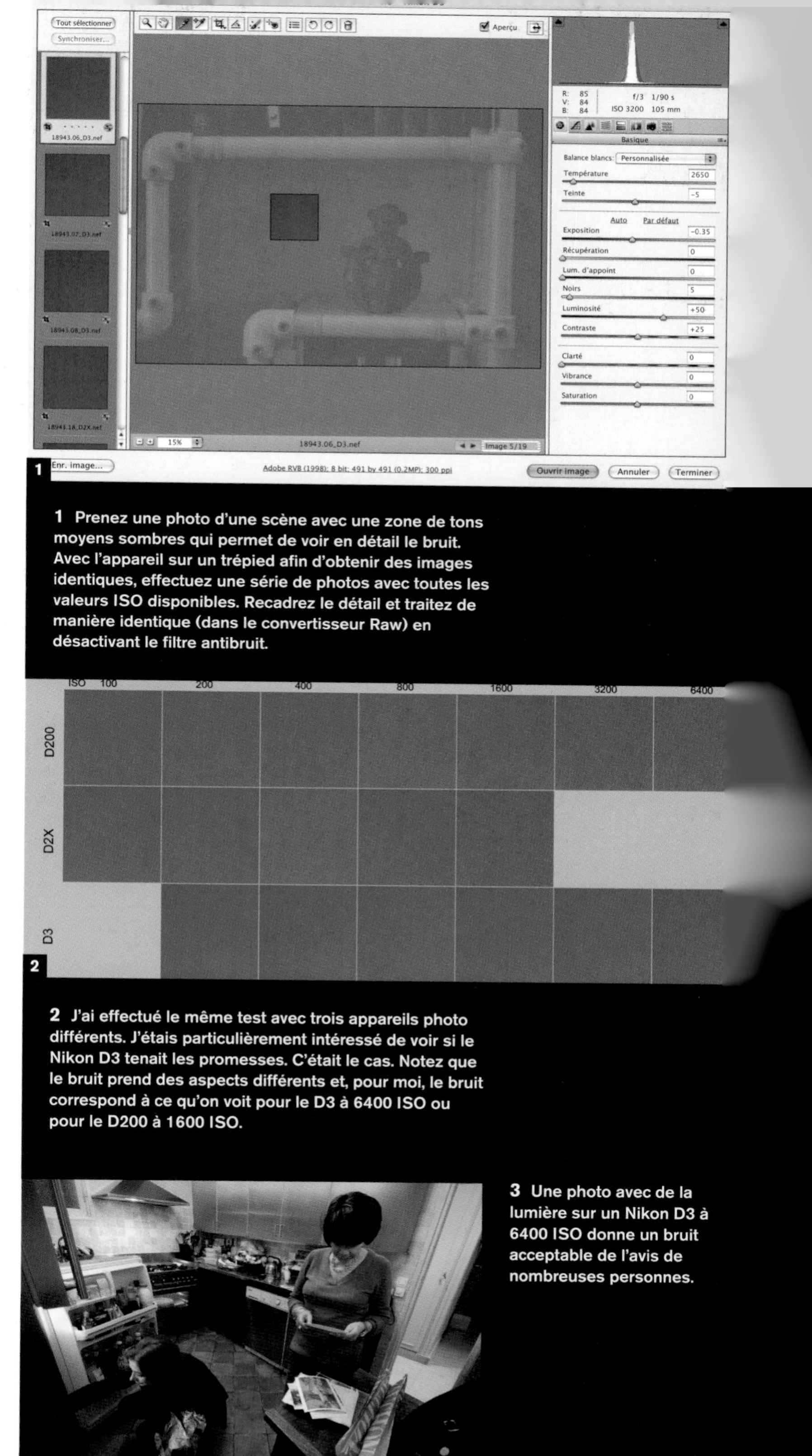

1 Prenez une photo d'une scène avec une zone de tons moyens sombres qui permet de voir en détail le bruit. Avec l'appareil sur un trépied afin d'obtenir des images identiques, effectuez une série de photos avec toutes les valeurs ISO disponibles. Recadrez le détail et traitez de manière identique (dans le convertisseur Raw) en désactivant le filtre antibruit.

2 J'ai effectué le même test avec trois appareils photo différents. J'étais particulièrement intéressé de voir si le Nikon D3 tenait les promesses. C'était le cas. Notez que le bruit prend des aspects différents et, pour moi, le bruit correspond à ce qu'on voit pour le D3 à 6400 ISO ou pour le D200 à 1600 ISO.

3 Une photo avec de la lumière sur un Nikon D3 à 6400 ISO donne un bruit acceptable de l'avis de nombreuses personnes.

89

Supports adaptés

Utilisez votre imagination pour trouver n'importe quelle surface pouvant servir de support ou d'appui. Dès lors que vous pouvez cadrer la photo correctement, appuyer l'appareil photo sur une surface équivaut à utiliser un trépied. Ce peut être une rampe, un mur, un lampadaire, le toit d'un véhicule, voire le sol. Occasionnellement, vous pouvez utiliser une sorte de coussin, vous pouvez même vous servir d'un sac ou d'une chaussure. Ici, vous pouvez voir un sac en plastique rempli de riz mais avec ce pourrait être des chips en polystyrène. Appuyez l'appareil photo sur le coussin.

1 Pour voyager léger, il faut laisser le trépied chez soi ! Mais on peut appuyer l'appareil photo pour éviter les mouvements, comme ici sur un sac.

2 Un sac maison, avec ici du riz cru, fournit un support intéressant qui se compresse pour prendre la forme de l'appareil photo que l'on maintient.

90

Optiques rapides

1 Un objectif de 85 mm avec une ouverture de f1.4. La mise au point est manuelle, ce qui peut paraître étrange actuellement, mais l'optique est excellente pour la photo à pleine ouverture.

J'ai déjà parlé des compromis entre la vitesse, l'ouverture et la sensibilité. Si la profondeur de champ (contrôlée par l'ouverture) n'est pas un problème, le mieux pour les photos en lumière faible reste d'utiliser les optiques les plus rapides possible. Rapide signifie une ouverture d'au moins f2, voire f1.4. Il est surprenant de constater que les zooms d'aujourd'hui offrent de bonnes résolutions mais que l'ouverture maximale est une qualité souvent oubliée. Je possède un zoom 18-200 mm que j'utilise souvent mais il n'est pas rapide : au mieux f3.5, au pire f5.6. Pour la faible luminosité, j'utilise un Zeiss 85 mm f1.4.

Bien entendu, pour obtenir le meilleur d'un objectif rapide, vous devez photographier à pleine ouverture mais vous devez garder à l'esprit que la mise au point est alors souvent mauvaise. La faible luminosité pouvant affecter l'autofocus, il est important de s'assurer de la netteté de la scène, netteté qui devient un problème plus important avec la faible profondeur de champ.

2 Une photo d'un bateau de pêche, prise appareil tenu à la main sur le pont d'un autre bateau à l'aide du Zeiss f1.4 à pleine ouverture. La sensibilité utilisée est de 320 ISO.

91

Recherchez les détails

Prenez le temps de vous entraîner à photographier avec des valeurs ISO élevées et du bruit en faible luminosité et vous découvrirez rapidement que les zones unies sont celles qui occasionnent les problèmes. Elles sont unies soit parce que le sujet présente peu de détails (comme un ciel), soit parce qu'elles ne sont pas nettes, comme c'est le cas pour l'arrière-plan d'une photo prise au téléobjectif avec une grande ouverture. Vous aurez plus de mal à trouver du bruit dans les zones bien détaillées de l'image.

Il est vrai qu'à un certain seuil le bruit ne se différencie pas des détails : la fréquence en est la cause. Les zones unies ont une faible fréquence. Les zones détaillées en revanche, comme dans les exemples ici, ont des fréquences élevées. Le bruit que l'on remarque et qui dérange est constitué de quelques pixels et c'est aussi une fréquence. Puisque le bruit n'est gênant que lorsqu'on le voit, les zones chargées n'entraînent généralement pas de problème.

Par conséquent, si la scène contient de nombreux détails, le bruit ne sera pas important. Avec les optiques, cela signifie privilégier les grands-angles avec leur profondeur de champ. Malheureusement, les optiques rapides avec une grande ouverture, surtout de focale moyenne, ont tendance à être utilisées dans des situations où on peut s'attendre à trouver des zones unies. Dans tous les cas, il est souhaitable de remplir le cadre avec des détails, si nécessaire en se déplaçant de quelques mètres.

1 Même si on trouve des zones unies avec des fréquences faibles, comme les chemises des hommes, la plus grande partie de la scène, prise au grand-angle de 15 mm avec une bonne profondeur de champ, contient beaucoup de détails, ce qui réduit le bruit qui est significatif à 25 600 ISO.

2 Un excellent exemple de ce qu'il ne faut pas prendre à 12 800 ISO. Un ciel noir sans détails fait ressortir tout le bruit. Il est nécessaire de traiter la photo en postproduction.

92

Tenu à la main ou fixé

Il existe deux méthodes pour photographier avec une faible luminosité, et chacune demande ses propres techniques et accessoires. Soit l'appareil est tenu à la main, comme avec une luminosité normale, soit il est fixé sur un trépied. L'équipement étant différent, surtout si vous utilisez un trépied, vous devez vous décider avant de partir pour une séance de photos.

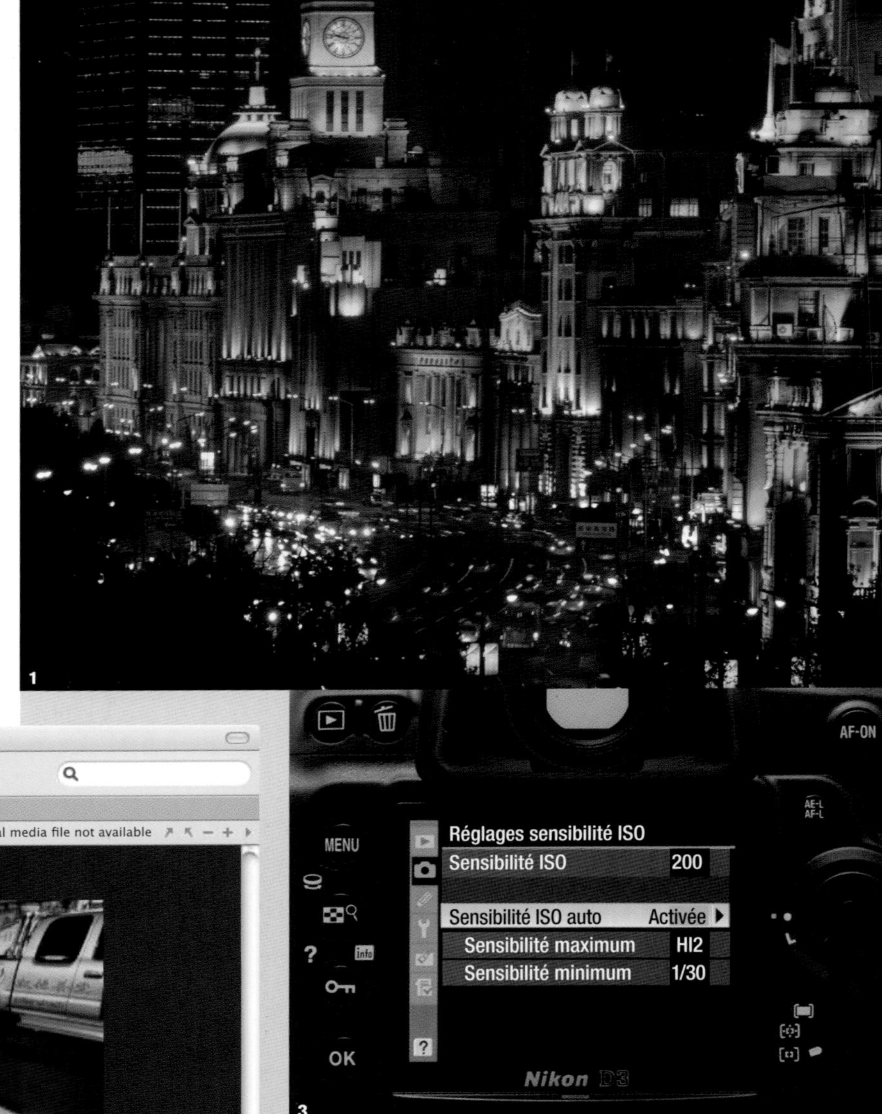

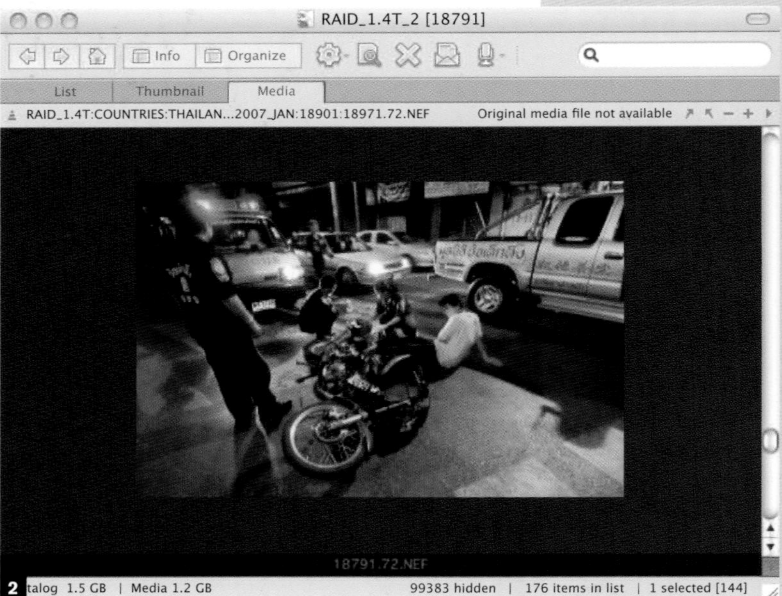

1 Il s'agit du type de photo de nuit que l'on souhaite sans bruit et net, à l'exception de l'éclairage du trafic. Le Bund de Shanghai, photographié ici avec une focale de 250 mm sur un trépied.

2 Une séance appareil tenu à la main, ici des secouristes un samedi soir dans Bangkok, avec des différences dans la qualité de l'image et du bruit.

3 Certains appareils photo offrent une fonction ISO automatique avec laquelle vous configurez une limite basse pour la vitesse d'obturation et une limite haute pour la valeur ISO. Lorsque la lumière ambiante ne suffit plus pour la vitesse réglée, la valeur ISO est augmentée automatiquement, ce qui est pratique pour les photos prises à la main, sans attendre.

93

Le bruit dépend de la taille de l'image

C'est peut-être évident mais il est utile de garder cela à l'esprit, surtout si vous avez un contrôle total sur l'utilisation de l'image. Le bruit étant un défaut, ou du moins un problème au niveau des pixels, il devient visible lorsqu'il est agrandi. Une image de 10 ou 12 mégapixels, avec du bruit, reproduite sur une double page de magazine apparaît plus bruyante que si elle est imprimée en quart de page.

De la même manière, un grand capteur, comme les dos pour appareils photo, offre des résolutions supérieures à un reflex standard. Une image avec la même sensibilité et reproduite avec la même taille que celle du reflex sera moins bruyante. Si vous assemblez les images, cela permet aussi de réduire le bruit (voir Chapitre 6). Cela dit, souvent les professionnels ne peuvent pas choisir le format d'utilisation.

1-2 Cette scène de nuit, prise à 1 000 ISO et relevée par un peu de flash, possède du bruit sur les tons unis, comme la peau, mais il est insignifiant sur une reproduction de petite taille.

94

Photo de nuit – Appareil tenu à la main

La priorité est de rester léger et mobile. Si vous vous passez des avantages d'un trépied, vous gagnez en liberté, en simplicité et en rapidité. Les combinaisons sont infinies mais voici la mienne :

* Reflex (dans ce cas, un modèle qui donne peu de bruit avec une sensibilité élevée) avec un optique rapide (f1.4).
* Un grand-angle avec une bonne ouverture maximale (f2.8 dans ce cas). Les longues focales sont plus difficiles à utiliser, appareil tenu à la main avec une faible vitesse d'obturation.
* Un flash qui se fixe sur l'appareil photo.
* Une lampe.
* Une carte mémoire de rechange.
* Un posemètre. Peut-être vieux jeu mais utile pour mesurer la lumière globale et la plage dynamique d'une scène.
* Un sac en plastique zippé contenant du riz, sur lequel j'appuie l'appareil photo pour les longues expositions. Il peut aussi être rempli avec des haricots ou du polystyrène ou tout autre matériau qui absorbe les petits mouvements.
* Un sac d'épaule, petit et léger.

95

Photo de nuit – Trépied

La prise de vue au trépied ralentit toutes les opérations, de la mise en place du matériel jusqu'à l'exposition elle-même, mais elle est adaptée à certains types de scènes. Comme vous transportez du matériel supplémentaire, vous devez vous préparer. Le modèle de trépied est un aspect important.

Ce trépied est en fibre de carbone. Il est léger mais solide, avec trois pieds et une colonne centrale qui permettent d'aligner l'appareil photo avec ma tête. Il est équipé d'un plateau à fixation rapide et d'une sangle qui permet de le transporter plus facilement que dans un étui. Cela permet aussi de porter le trépied sur l'épaule plutôt qu'à la main.

- Câble déclencheur.
- Lampe.
- Posemètre, avec une mesure par point pour mesurer les petites parties de la scène.
- Un grand-angle.
- Un téléobjectif 300 mm, ici avec une ouverture maximale modeste.
- Un reflex, avec un objectif rapide, et un support qui se fixe rapidement sur le trépied. Ce support doit permettre de placer l'appareil photo à la verticale et à l'horizontale.
- Carte mémoire de rechange.
- Sac d'épaule.

Chapitre_ 09

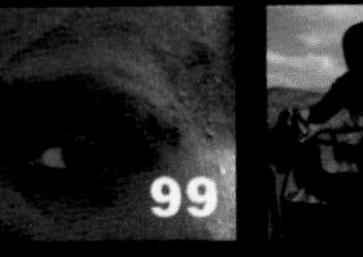

Traitement

96

Utilisez les bons logiciels

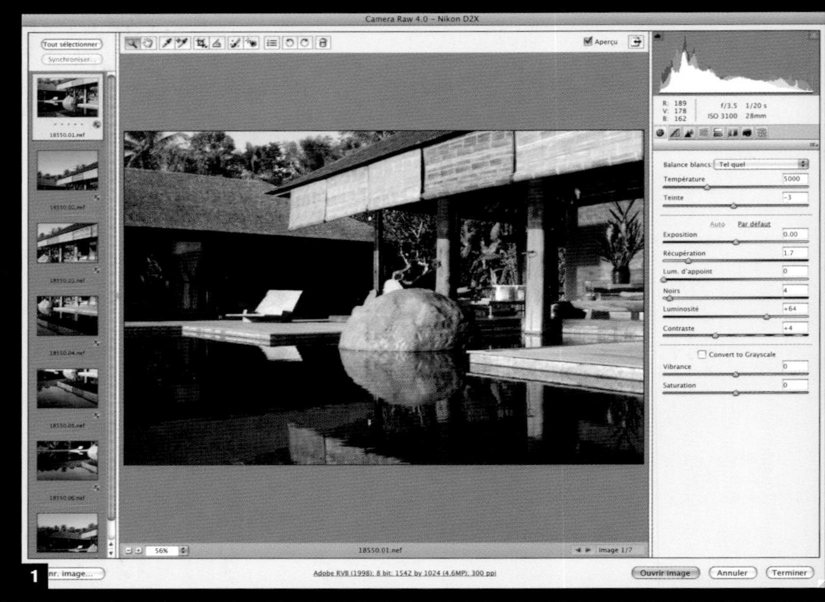

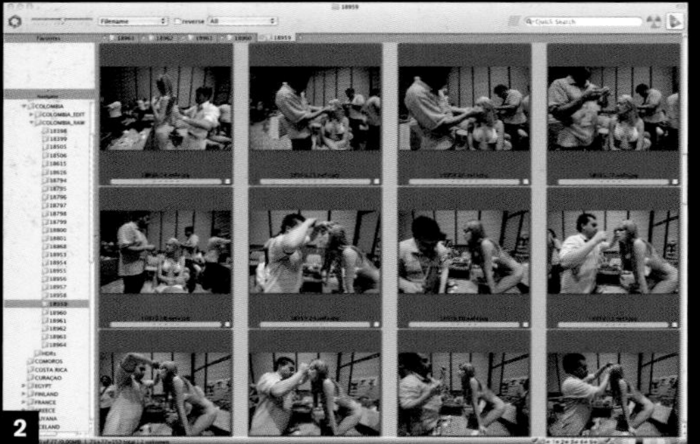

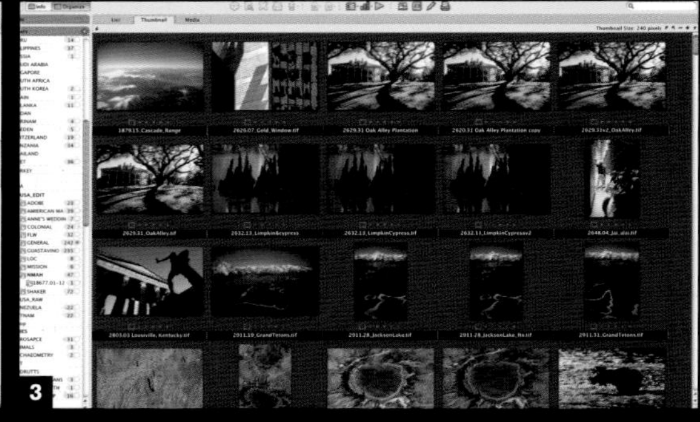

Pourquoi une partie sur le traitement de l'image dans cet ouvrage sur la photo ? C'est parce que, avec la photo numérique, la prise de vue nécessite d'anticiper ce qui vient après. Si vous savez quel traitement vous appliquerez lors de la postproduction, vous pouvez être plus confiant lors de la prise de vue, prendre certains risques, en éviter d'autres. Quelques logiciels permettent d'obtenir d'excellents résultats avec des images qui semblaient perdues. Par conséquent, il est important de posséder les logiciels nécessaires pour le traitement numérique de vos images, et c'est pour cela que cette partie existe.

Il existe des domaines dans lesquels les éditeurs de logiciels entrent en compétition. Certains sont meilleurs que d'autres mais, dans l'ensemble, vos choix doivent être guidés par votre style de travail et le type de photographies que vous réalisez.

Je ne fais pas de recommandation particulière. Je ne présente que les logiciels que j'utilise soit régulièrement, soit occasionnellement pour des besoins particuliers ou dans des cas extrêmes. Je me sers de Photo Mechanic pour transférer les images sur l'ordinateur et comme navigateur ; d'Expression Media comme base de données pour l'organisation ; de DxO Optics Pro pour le traitement de base et de Photoshop pour la majorité des traitements de postproduction. J'utilise Photomatix pour le HDR et la fusion d'expositions ; Stitcher pour assembler ; Noise Ninja pour réduire le bruit ; PhotoZoom pour mettre à l'échelle les images ; Focus Magic pour réparer la mise au point ; iPhoto pour placer les images sur le Web et Fetch pour le FTP.
C'est ma manière de travailler, la vôtre peut être différente.

1-4 Quatre des logiciels que j'utilise régulièrement, Photoshop ACR, Photo Mechanic, Expression Media et Stitcher.

97

Anticipez le traitement

Une scène très contrastée, avec un soleil haut et dégagé et un marché partiellement couvert. Sans prendre en compte le posttraitement, on réfléchit à deux fois avant de prendre l'instant où la personne est partiellement éclairée (il serait plus prudent de tout prendre dans les ombres). Le JPEG, enregistré en même temps que le fichier Raw, montre le problème. Le fichier TIFF a d'abord été traité avec ACR pour corriger le visage et les mains de la femme, puis il a subi un second traitement dans Photoshop.

Il était une époque où le traitement était réalisé par un laboratoire. Lorsque le film couleurs faisait la loi en photographie (approximativement des années 1960 à la fin du millénaire) et, en particulier, lorsque le Kodachrome était le film des professionnels, le travail du photographe s'arrêtait au moment de il appuyait sur le déclencheur.

Maintenant, le traitement numérique fait partie de la photographie. Les capteurs prennent la lumière sous la forme d'une grille et, non seulement cette forme brute doit être traitée pour devenir un motif coloré ayant un sens, mais elle peut s'interpréter de différentes manières. Les logiciels de traitement d'images, en particulier pour le traitement des fichiers Raw, évoluent sans cesse.

Par exemple, la technique du tonemapping local qui est intégrée (sans le nom) à la plupart des logiciels. Il s'agit d'une technique permettant d'ajuster la luminosité locale en fonction des pixels alentour afin que les tonalités des ombres puissent être modifiées indépendamment des ombres des lumières hautes. En sachant que cela existe, vous pouvez pendre une photo en contre-jour sans faire appel au flash.

L'une des procédures les plus efficaces et les plus simples est la correction automatique des lumières hautes brûlées. On la trouve maintenant dans tous les convertisseurs Raw. Cette fonction tente de reconstruire les détails dans les trois canaux de couleurs, en utilisant les données qui restent dans seulement un canal ou deux.

Lorsqu'on connaît les limites de cette fonction, il est possible de pousser l'exposition dans les situations où le contraste est élevé.

De plus, il faut prendre en compte toutes les astuces données au fil des chapitres précédents et qui utilisent le traitement.

On peut résumer à ceci : savoir ce qu'il est possible de faire et ce qui peut être récupéré.

98

Les convertisseurs Raw ne sont pas égaux

La guerre entre logiciels pour savoir qui permet d'obtenir les meilleures images est un autre élément qui impose de se souvenir que la photo numérique va au-delà de la prise de vue. Au centre de la bataille, se trouve le format Raw. Tout serait simple s'il n'y avait aucune différence entre les logiciels de conversion Raw, mais ce n'est pas le cas. Certes, nous sommes des photographes et pas des informaticiens, mais des développeurs travaillent à la création de solutions pour transformer les images existantes afin qu'elles soient plus nettes, avec moins de bruit et, plus généralement, telles qu'on les souhaite (par exemple, le procédé de « dé-mosaïque » utilisé pour calculer les couleurs manquantes pour chaque pixel : les capteurs sont monochromes et ont un filtre de mosaïques colorées). Il existe des différences infinies dans la manière dont cette opération est réalisée et si vous portez de l'intérêt à l'aspect de vos photos, vous ne pouvez pas l'ignorer.

Les motifs avec un espacement d'un pixel sont des défis pour le procédé de dé-mosaïque des convertisseurs Raw. Sur ces cinq convertisseurs, seuls Photoshop ACR et DxO Optics 5 interprètent correctement les colonnes du Louvre à Paris. Nikon NX, Bibble et Capture One 4 interprètent mal, et les deux premiers ajoutent des artefacts colorés. On pourrait s'attendre que le fabricant d'appareils photo soit bien placé, mais ce n'est pas le cas.

1 Adobe Camera Raw
2 Bibble
3 Capture One
4 DxO Optics Pro
5 Nikon NX

1
2
3
4
5

99

Récupérez les ombres et lumières hautes

Il s'agit certainement de la procédure la plus utilisée avec les logiciels sur des images contenant des scènes au contraste élevé. Le fait qu'on puisse apporter une correction logicielle ne change rien à la plage dynamique du capteur mais cela permet d'avoir plus de latitude.

Les deux côtés de la plage, les lumières hautes et les ombres, demandent des traitements différents à cause de la manière dont le capteur enregistre les informations. Les lumières hautes sont brûlées lorsque le capteur atteint sa capacité maximale et celui-ci a tendance à couper net, sans la transition qu'on obtenait avec les films. Les lumières hautes sont donc facilement coupées.

Il existe deux méthodes de récupération. Avec la première, vous utilisez le format Raw, afin d'avoir un bit supplémentaire pour la profondeur, puis le curseur d'exposition du convertisseur Raw. En laissant actif l'avertissement pour les lumières hautes du convertisseur et en abaissant le curseur, vous réduisez les zones brûlées.

La seconde consiste à employer, dans le logiciel, un algorithme de récupération des lumières hautes. Cet algorithme varie d'un produit à l'autre mais il fonctionne en utilisant n'importe quelle information disponible dans l'un des trois canaux (rouge, vert ou bleu) pour reconstruire les détails. Ainsi, même si les canaux rouge et vert sont coupés, il peut rester des informations dans le canal bleu.

Le côté de l'échelle correspondant aux ombres n'est pas coupé net puisque la courbe de réponse diminue progressivement. Toutefois, le bruit augmente et les ombres en sont remplies plus que toutes les autres parties. Comme avec les lumières hautes, utilisez le format Raw et récupérez les ombres à l'aide du curseur d'exposition du convertisseur, mais vous devrez aussi travailler le bruit. De plus, de nombreux logiciels de retouches d'image possèdent des algorithmes pour ouvrir les ombres ; d'autre part, avec le tonemapping local, le contraste augmente uniquement dans ces zones.

1-3 Sur la prise, les lumières hautes de la peau de ce Soudanais et du ciel sont coupées. Cela ne gêne pas l'image mais peut être amélioré.

4-5 En utilisant la récupération, on supprime une grande partie de la zone brûlée. Notez que, si certains détails sont reconstruits, comme sur les épaules, les zones très claires ne sont pas récupérées.

Camera Raw 4.3.1 – Nikon D100

Aperçu
R: 62
V: 59
B: 59
f/4 1/125 s
ISO 200 180mm
Basique
Balance blancs: Personnalisée
Température 2650
Teinte -5
Auto Par défaut
Exposition 0.00
Récupération 0
Lum. d'appoint 0
Noirs 34
Luminosité +66
Contraste +27
Clarté 0
Vibrance 0
Saturation 0
53.6%
18495.67.NEF
Enr. image...
Adobe RVB (1998); 8 bit; 1024 by 1540 (1.6MP); 300 ppi
Ouvrir image
Annuler
Terminer

2

3

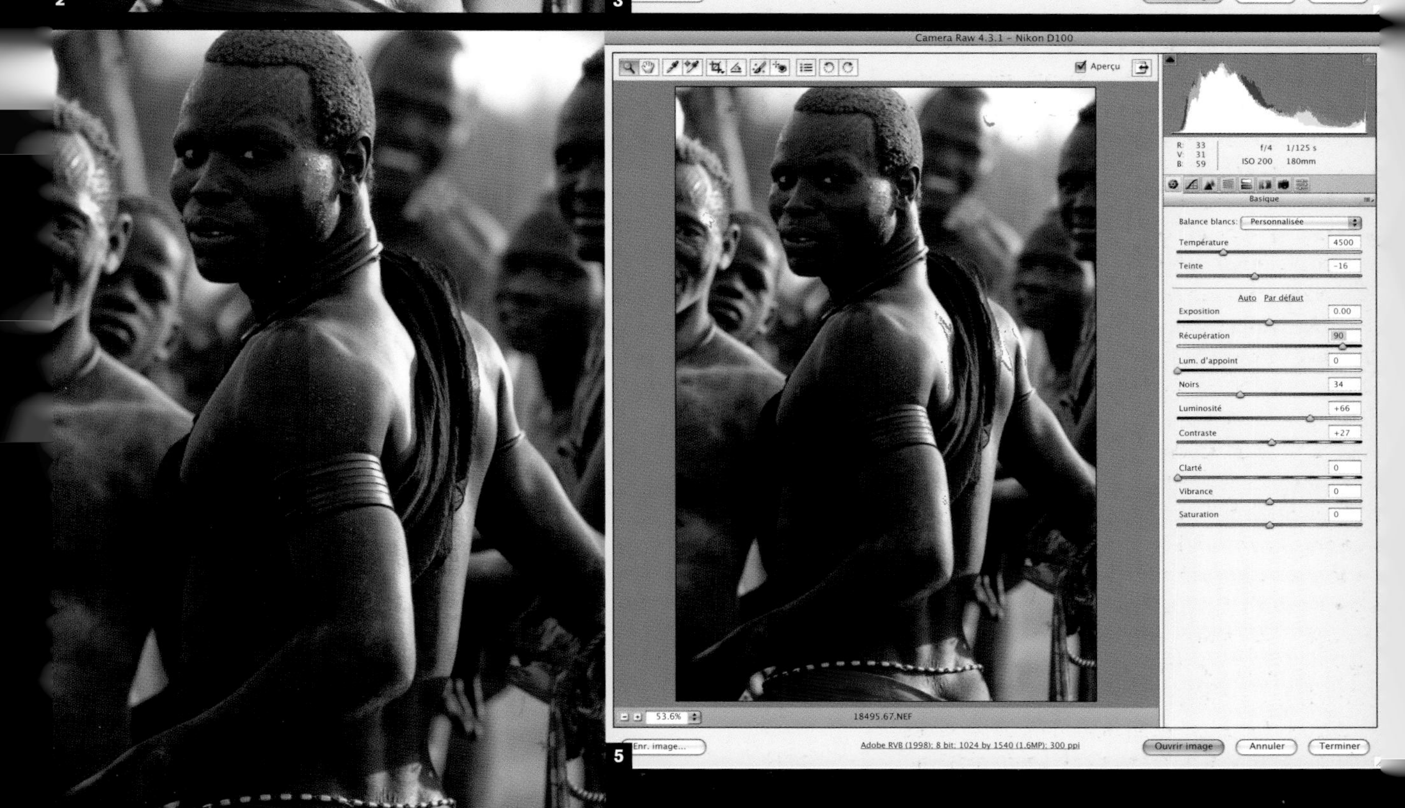
Camera Raw 4.3.1 – Nikon D100
Aperçu
R: 33
V: 31
B: 59
f/4 1/125 s
ISO 200 180mm
Basique
Balance blancs: Personnalisée
Température 4500
Teinte -16
Auto Par défaut
Exposition 0.00
Récupération 90
Lum. d'appoint 0
Noirs 34
Luminosité +66
Contraste +27
Clarté 0
Vibrance 0
Saturation 0
53.6%
18495.67.NEF
Enr. image...
Adobe RVB (1998); 8 bit; 1024 by 1540 (1.6MP); 300 ppi
Ouvrir image
Annuler
Terminer

4

5

100

Titres et mots clés

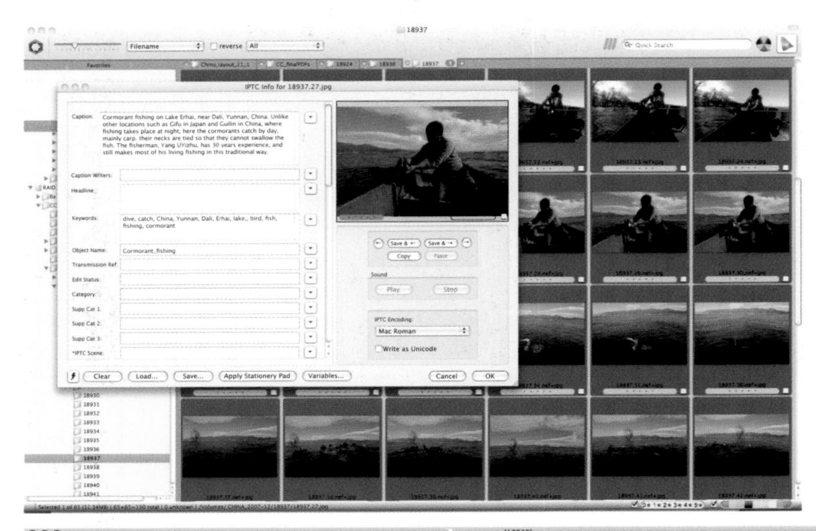

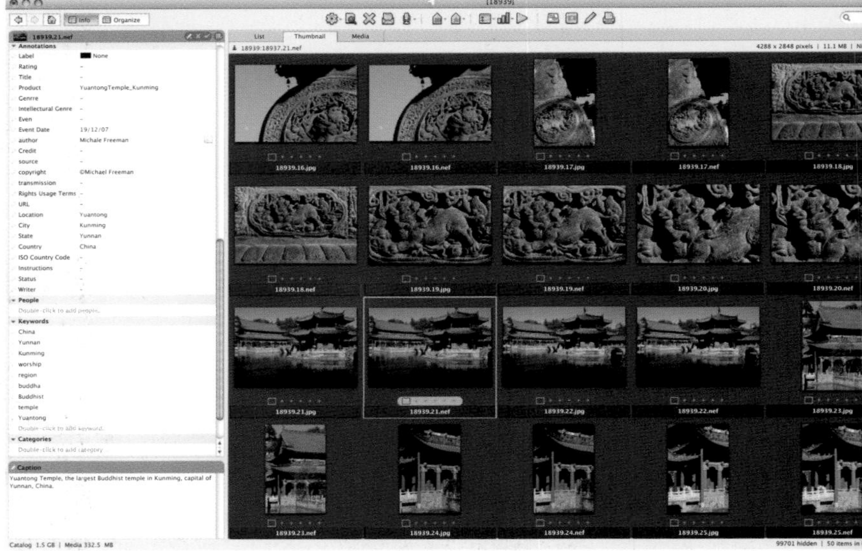

En général, les photos contiennent un sujet et chacune mérite une description. L'imagerie numérique facilite cela puisqu'il est possible d'intégrer des informations dans le fichier de l'image. La majorité des logiciels permettent de créer et de lire ces métadonnées. Le problème n'est pas de savoir comment ajouter, mais quoi et quand.

Le « quoi » varie en fonction du type de photo. Un portrait en studio a besoin seulement du nom de la personne et de la date ; une photo d'un but au football nécessite plus de détails. Avec cela en tête, vous ne pouvez pas vous tromper si vous suivez la liste suivante :

* Qui
* Quoi
* Quand
* Où
* Pourquoi

Une autre astuce consiste à écrire un titre de deux phrases, la première contenant la description de base et la seconde, les détails. Les utilisateurs ignorent cette dernière tant qu'ils n'en ont pas besoin.

Si vous avez l'intention de vendre vos photos en ligne, sachez qu'elles seront inutiles (et refusées) si vous ne mettez pas de titre et de mots clés qui servent aux moteurs de recherche. Pour des mots clés efficaces, une technique spéciale est nécessaire, qui demande une bonne connaissance des recherches des clients.

Vous pouvez envisager les astuces suivantes :

* Trop de mots clés est aussi mauvais que pas assez, ne dépassez pas dix.
* Mettez-vous à la place d'un chercheur, quels mots utiliseriez-vous ?
* Utilisez plusieurs écritures ou usages (fuel, mazout).
* Utilisez les erreurs d'écriture courante.
* Utilisez pour un même terme le singulier mais aussi le pluriel.
* Utilisez des synonymes (servez-vous de l'outil du traitement de texte).

Deux des nombreux programmes qui permettent l'utilisation de titres et de mots clés : la fenêtre IPTC Info de Photo Mechanic et le volet Media Info d'Expression média.

101

Gérez les données EXIF

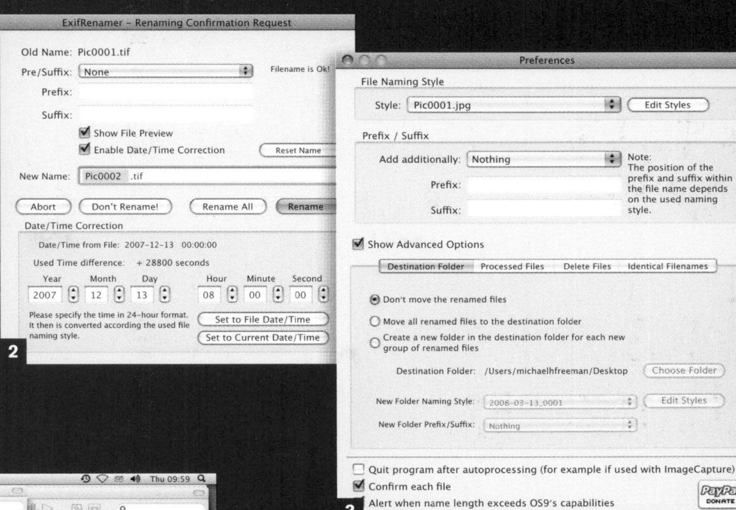

1 1 Il est souvent possible de modifier les dates dans les logiciels, comme ici dans Expression Media.

2-3 Le shareware EXIFRenamer avec une interface simple.

4-5 Des modifications en ligne de commande sur une plage de données EXIF sont possibles avec EXIFUtils, sans interface mais puissant.

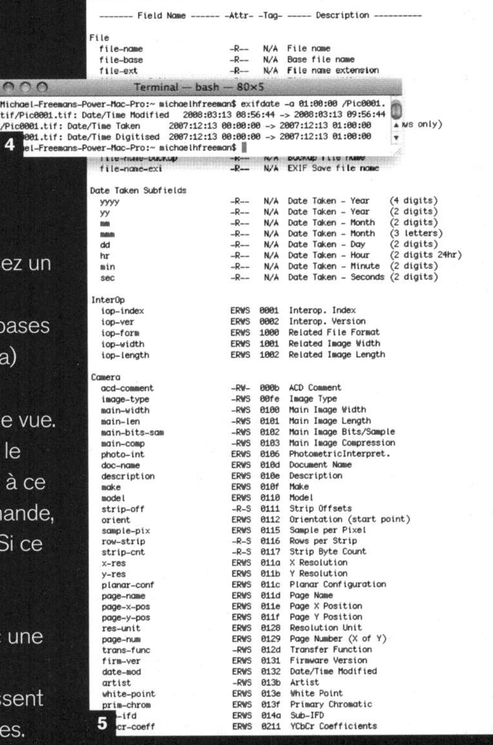

Chaque fichier d'une photo numérique contient des détails sur les paramètres de l'appareil photo, comme l'heure, la date, la sensibilité, la vitesse, l'ouverture et plus encore. Ces informations sont enregistrées au format EXIF (Exchangeable Image File), qui est un standard de l'industrie. Il est difficilement transformable puisqu'il a été conçu pour être permanent mais, parfois, vous aurez besoin de modifier quelques informations. Le plus couramment, il s'agit de changer l'heure qui est fausse parce que vous aurez oublié de changer de fuseau horaire (ce qui m'arrive régulièrement). Ce peut être aussi pour ajouter des informations qui ne s'y trouvent pas, par exemple si vous utilisez un vieil objectif manuel.

Certains navigateurs et certaines bases de données (comme Expression Media) offrent des fonctions permettant de modifier la date et l'heure de la prise de vue. Au-delà, les choses se compliquent et le logiciel d'édition le plus puissant reste, à ce jour, une application en ligne de commande, que tout le monde n'aime pas utiliser. Si ce n'est pas votre cas, vous pouvez vous tourner vers ExifUtils, par exemple. Toutefois, il existe de programme avec une interface comme Opanda PowerEXIF Editor. De nombreux logiciels apparaissent régulièrement, effectuez des recherches.

Glossaire

AE Abréviation de Automatic Exposure, exposition automatique.

AF Abréviation de Auto-Focus, mise au point automatique.

Analogique Se dit d'un phénomène qui varie en continu et dont la représentation peut être à tout moment assimilée à une courbe, sans aucune discontinuité.

Anticrénelage Technique de lissage des lignes inclinées d'une image numérique, visant à estomper l'effet d'escalier produit par la succession des pixels.

APS (*Advanced Photo System*) Film compact sans perforations, utilisé par des appareils compacts et quelques reflex. Il se caractérisait par le choix entre trois formats d'image (classique, 16/9e et panoramique).

Argentique Se dit de tous les procédés photographiques utilisant des films ou du papier recouverts d'une émulsion photosensible à base d'halogénures d'argent.

Artefact Défaut apparaissant sur une image numérique.

Autofocus passif Mise au point automatique par détection du contraste.

Autofocus prédictif Mise au point effectuée par le calcul de la vitesse d'un sujet mouvant fi n qu'elle soit correcte au moment du déclenchement.

Balance des couleurs Intensités relatives des couleurs d'une image.

Bichromie Procédé d'impression n'utilisant que deux encres de couleurs différentes.

Bit La plus petite unité informatique dont la valeur est 0 ou 1. Un codage sur 2 bits permet quatre permutations (00 noir, 01 gris foncé, 10 gris clair, 11 blanc). Un codage sur 8 bits (28) autorise 256 permutations, soit autant de couleurs, et un codage de 24 bis (224) en autorise 16 777 216.

Bracketing Prise de vue d'une série de photos en variant l'exposition. Seule sera retenue la photo dont l'exposition est la plus satisfaisante.

Bruit Pixels indésirables causés par des phénomènes électroluminescents du capteur lorsque la lumière est faible.

Calque En infographie, élément apparenté à des feuilles de celluloïd sur lesquelles seraient disposés les éléments d'une image ou d'un montage photographique.

CMJN (cyan, magenta, jaune, noir) Couleurs des encres utilisées par les imprimantes de bureau et aussi pour l'impression en quadrichromie.

Colorisation Coloriage d'une image en noir et blanc sans modifier la densité des gris.

Composite Image produite par la superposition de ses couches chromatiques. Toute image affichée à l'écran est un composite.

Compression Procédé visant à la réduction de la taille (en octets) d'un fi chier informatique.

Compression à pertes de données Technique recourant à la suppression de données jugées superflues pour améliorer le taux de compression. La dégradation de l'image est d'autant plus importante que la compression est élevée.

Compression sans perte de données Technique de compression préservant l'intégrité des données graphiques.

Contraste Mesure de l'étendue et de la répartition des luminosités.

Convertisseur de focale Élément optique complémentaire augmentant ou réduisant la focale de l'objectif devant lequel il est vissé.

Couche chromatique Dans un fi chier d'image, l'une des composantes de couleur primaire servant à former l'image en couleur finale.

Couleurs non imprimables Gamme des couleurs impossibles à restituer par l'équipement de reproduction (imprimante, presse, etc.).

Cran de diaphragme Cliquet permettant de régler le diaphragme avec précision. Sur les objectifs de bonne qualité, les crans permettent de régler l'ouverture par tiers de diaphragme. Sur les objectifs des chambres d'atelier, ce réglage peut être effectué au quart de diaphragme.

Définition Évaluation subjective de la netteté et de la clarté des détails.

Développement écourté Procédé consistant à surexposer le film puis le sous-développer pour compenser, et obtenir ainsi un négatif à contraste plus faible.

Développement poussé Procédé consistant à sous-exposer le film puis le surdévelopper pour compenser, et obtenir ainsi un négatif à contraste plus élevé.

Diaphragme Mécanisme formé de lamelles, à l'intérieur de l'objectif, dont la rotation fait varier le diamètre de l'ouverture.

Diffuseur Accessoire adoucissant la lumière qui le traverse.

Dominante de couleur Teinte ou couleur recouvrant uniformément une photo.

d-SLR (digital Single Lens reflex) reflex mono-objectif numérique.

DVD (Digital Versatile Disc, disque numérique polyvalent) Disque optonumérique servant au stockage de données. Il existe diverses variantes.

DX Codage apparaissant sur les cartouches métalliques, permettant à l'appareil d'identifier la pellicule qui vient d'être introduite.

Effet de bandes Représentation des dégradés de couleur par des aplats de couleur uniforme.

Exposition en mode Programme Automatisme total. L'appareil photo règle la vitesse d'obturation et le diaphragme.

Exposition Quantité de lumière frappant la surface photosensible (film ou capteur). Elle est réglable en agissant sur le temps de pose et/ou sur l'ouverture du diaphragme.

Extension Programme complémentaire apportant des fonctionnalités nouvelles au programme auquel il est intégré.

Filé Suivi du sujet dans le viseur.

Filtre (1) Plaque de verre vissée sur l'objectif ou feuille de gélatine placée devant une source lumineuse pour modifier ses caractéristiques chromatiques. (2) Effet spécial appliqué à un fi chier d'image par un logiciel graphique.

Filtre anti-UV Filtre empêchant la transmission des ultraviolets. Il atténue légèrement le voile atmosphérique, lors des photos de paysage.

Filtre de correction Filtre réchauffant ou refroidissant la température de couleur de la lumière.

Filtre dégradé Filtre gris ou coloré dont la densité décroît progressivement d'un bord à un autre.

Filtre gris neutre Filtre servant à réduire la quantité de lumière parvenant dans l'objectif.

Filtre polarisant Filtre ne laissant passer que la lumière vibrant sur un même plan. Utilisé pour éliminer les réflexions non métalliques et assombrir le ciel.

FireWire Liaison filaire développée par Apple en conformité avec le standard IEEE-1394. Prise à six broches.

Flare Halo causé par la diffusion d'un excès de lumière.

Flash (1) Éclairage produisant un bref éclair de forte intensité. (2) Type de mémoire magnétique, utilisé notamment par les cartes mémoire des appareils photos numériques, les clés USB et les lecteurs MP3.

Flash de remplissage Éclairage électronique d'appoint destiné à déboucher les ombres, quand l'éclairage principal est trop dur.

Focale (longueur ~) Distance séparant le centre optique d'un objectif de son foyer (à la surface du film ou du capteur), lorsque la distance est réglée sur l'infini.

Fond perdu Photographie ou dessin dépassant légèrement des bords de la page imprimée.

Format de fichier Structuration des données informatiques contenues dans le fi chier.

Gamma Courbe sensitométrique correspondant au contraste de l'image. En infographie, valeur indiquant le contraste global de l'écran.

Gestion des couleurs Système permettant de contrôler la sortie des couleurs tout au long d'une chaîne graphique.

GIF (*Graphic Interchange Format*, format d'échange graphique) Format d'image fortement compressé, mais limité à seulement 255 couleurs, très utilisé sur l'Internet. Une couleur transparente peut être défi nie et l'image peut être animée par incorporation de plusieurs graphismes dans un même fi chier, affichés à une cadence déterminée.

Grain Minuscule particule d'halogénure d'argent dans un film.

Grand format Film de grandes dimensions présenté généralement sous la forme de plaques semi-rigides à insérer dans le châssis d'une chambre d'atelier.

Hautes lumières Parties les plus lumineuses d'une image.

HDRI (*High Dynamic Range Imaging,* imagerie à plage dynamique étendue) Technique consistant à fusionner des photos prises à différentes expositions afin de récupérer du détail dans les luminosités extrêmes. Elle permet de restituer davantage de valeurs qu'en photographie traditionnelle, voire des valeurs imperceptibles par l'œil.

histogramme Courbe de répartition des tons. La plage des tons, des plus clairs aux plus foncés, se trouve en abscisse. La quantification de chaque ton est en ordonnée.

ISO (*International Standards Organization,* organisation internationale des standards). Norme sensitométrique. L'échelle est basée sur une progression arithmétique par doublement des sensibilités : 100, 200, 400, 800, etc.

joule Mesure de la puissance. Voir Watt par seconde.

JPEG (*Joint Photographic Experts Group,* groupe de travail d'experts en photographie). Format d'image compressée développé par l'ISO. Les taux de compression – à pertes de données – sont typiquement de 10:1 et 20:1.

kelvin Échelle de température mesurée à partir du zéro absolu (-276,15°C), utilisée en photographie pour exprimer la température de couleur. Le symbole «degré» n'est pas utilisé (5 000 K, et non 5 000°K).

LCD (Liquid Crystal Display, affichage à cristaux liquides) Dispositif d'affichage exploitant la capacité des cristaux liquides à pivoter sous l'effet d'un courant électrique.

Linéature Résolution d'une image imprimée à l'aide d'une trame photomécanique.

Lumière ambiante Lumière produite par l'éclairage présent (soleil, ampoules, bougies, etc.) qui n'est pas contrôlée par le photographe.

Luminosité Perception de la quantité de lumière renvoyée par un objet. La luminosité varie selon l'éclairement, la couleur et l'aspect mat ou brillant d'une surface.

Macro Mode de fonctionnement d'un objectif autorisant la photographie rapprochée.

Macrophotographie Photographie de sujets représentés à la taille réelle ou grossis, sur le film ou le capteur.

Manipulation d'image Ensemble des opérations visant à modifier les caractéristiques d'une image numérique à l'aide d'un logiciel.

Masque En infographie, exclusion d'une partie de l'image, par sélection, afin de la protéger de toute modification ou correction.

Mégaoctet 1 024 kilo-octets, ou 1 048 576 octets.

Mégapixel Un million de pixels. Sert d'unité de mesure de la résolution globale d'un capteur.

Memory Stick Carte mémoire développée par Sony.

Mesure incidente Mesure de la lumière renvoyée par le sujet. Pour ce type de mesure, la cellule photoélectrique du posemètre est couverte d'une calotte diffusante.

Mesure multizone Mesure de la lumière effectuée sur plusieurs parties de la scène. L'exposition finale est calculée d'après les mesures obtenues et le mode programme sélectionné.

Mesure sélective Mesure de la lumière effectuée sur une partie seulement du sujet ou de la scène.

Mise au point télémétrique Système de mise au point par triangulation, basé sur la superposition de deux images légèrement décalées.

Mode de fusion En infographie, technique permettant de régir l'interaction entre les pixels d'un calque et les pixels des calques sous-jacents.

Moiré Motif géométrique indésirable provoqué par l'interférence de lignes et/ou de motifs géométriques superposés. L'intensité du phénomène dépend de la phase, de l'orientation et de la fréquence des éléments incriminés.

Monochrome Image constituée d'une seule couleur, en plus de celle du support (généralement, le blanc du papier). Un virage est une image monochrome. NG (Nombre Guide) Nombre quantifiant la portée d'un flash.

Niveaux de gris En infographie, gammes de gris formant une image noir et blanc.

Noir et blanc (1) En photographie, image formée de niveaux de gris. (2) En infographie, image formée uniquement de blanc pur et de noir pur.

Numérique Se dit d'une valeur qui varie par paliers, selon un intervalle et une amplitude définis.

Numérisation Reproduction d'une image analogique (dessin, tirage, diapositive) sous la forme d'un fi chier numérique à l'aide d'un scanner.

Objectif standard Objectif dont la focale est à peu près égale à la diagonale de la surface photosensible (film ou capteur).

Octet Ensemble de 8 bits. Unité de mesure de la mémoire vive d'un ordinateur ou d'une mémoire de masse (disque dur, disquette, CD, DVD, clé USB, etc.).

Opacité Réglage de la transparence d'un calque.

Open flash Déclenchement du flash au cours d'une exposition en lumière ambiante.

Ouverture Orifice formé par le diaphragme de l'objectif. Il règle la quantité de lumière qui traverse l'objectif.

Palette (1) Gamme de couleurs. (2) En infographie, panneau contenant des outils.

Panoramique Image beaucoup plus large que haute, couvrant un angle élevé. Elle est réalisée à l'aide d'un appareil photo spécialisé, ou en raboutant plusieurs vues successives prises en pivotant à chaque fois l'appareil.

Périphérique Équipement branché à un ordinateur (imprimante, scanner, moniteur, etc.).

Pilote Logiciel utilisé par l'ordinateur pour contrôler un périphérique (scanner, imprimante, lecteur amovible, etc.).

Pixel Abréviation de *picture element*, élément d'image. La plus petite unité d'une image numérique.

Pixellisation (1) Pixels devenus visibles, affichés sous la forme de grands carrés. (2) Conversion d'une image vectorielle en image point à point.

Points par pouce Nombre de points qu'une imprimante est capable d'aligner sur un pouce. Plus la valeur est élevée, plus l'image est fi ne et détaillée.

Pondération centrale Mesure de la lumière favorisant la partie centrale de l'image, mais prenant cependant partiellement en compte la partie périphérique.

Posemètre Appareil indépendant ou incorporé à un appareil photo servant à mesurer la lumière.

Primaires (couleurs ~) Rouge, vert et bleu. Leur somme produit du blanc en synthèse additive des couleurs.

Priorité à la vitesse Mode d'exposition automatique. Le photographe sélectionne la vitesse, l'appareil règle le diaphragme.

Priorité au diaphragme Mode d'exposition automatique. Le photographe sélectionne le diaphragme, l'appareil règle la vitesse.

Profondeur de champ Zone de netteté tolérable en deçà et au-delà du plan de mise au point (sujet). Son étendue varie selon le diaphragme et la focale de l'objectif. Elle est plus étendue au-delà du plan de mise au point qu'en deçà.

RAM (*Random Access Memory*, mémoire à accès aléatoire) Mémoire vive de l'ordinateur, dans laquelle sont stockés les programmes en cours d'exécution et les données en cours de traitement.

Rapidité du film Sensibilité du fi lm à la lumière, exprimée en ISO.

Raw Format de fi chier d'image contenant les données brutes du capteur, sans posttraitement. Les paramètres de prise de vue sont modifiables a posteriori. Un fi chier Raw doit être converti dans un autre format de fi chier pour pouvoir être retouché.

Redimensionnement Changement des dimensions (largeur et/ou hauteur) d'une image, par grandissement ou réduction (changement d'échelle).

reflex Appareil photo dont la visée s'effectue à travers l'objectif. L'image est renvoyée vers un verre dépoli par un miroir incliné qui bascule vers le haut pendant la pose.

Résolution (1) Définition d'une image. La définition d'écran est exprimée en pixels par pouce, la définition d'impression en points par pouce. (2) Largeur et hauteur d'une image exprimées en pixels.

RVB (Rouge, Vert, Bleu) Modèle colorimétrique définissant les couleurs selon leur dosage de rouge, de vert et de bleu.

Stabilisateur d'image Dispositif logiciel ou mécanique permettant d'atténuer le bougé de l'appareil photo au cours de la prise de vue.

Stop Réglage de l'objectif doublant ou diminuant de moitié la quantité de lumière transmise à la surface sensible (film ou capteur).

Système d exploitation Logiciel prenant en charge les fonctions principales de l'ordinateur.

Teinte Couleur telle qu'elle est perçue (jaune citron, vert feuille, etc.)

Téléobjectif Objectif dont la longueur focale est supérieure à la longueur physique de l'objectif, grâce à de complexes formules optiques. Si la distance entre le centre du groupe de lentilles et la surface sensible est égale à la longueur focale, cet équipement est appelé « longue focale ».

Température de couleur Lumière émise par un corps noir. La couleur de cette lumière est directement liée à la température, exprimée en Kelvin. Plus une source lumineuse est chaude, plus la longueur d'onde de lumière émise est courte et par conséquent, plus le rayonnement émis tend vers le bleu.

TIFF (*Tagged Image File Format,* format de fi chier d'image à balises) Format d'image numérique de grande qualité, très répandu.

Ton principal Ton situé à mi-chemin entre le ton le plus clair d'une image et le ton le plus foncé.

Tramage photomécanique Reproduction d'une photographie sous la forme d'un réseau d'innombrables petits points de diamètre varié.

USB (*Universal Serial Bus*, bus série universel) Port de connexion informatique destiné à recevoir divers périphériques (appareil photo numérique, imprimante, souris, clavier, etc.).

Vignettage Défaut de couverture de la surface sensible par le cercle d'image de l'objectif, entraînant un assombrissement dans les coins, par sous-exposition.

Vignette En infographie, représentation d'une image sous la forme d'une miniature en basse résolution.

Virage Technique consistant à teinter une image en sépia, or, bleu, etc.

Viseur direct Viseur à travers lequel le sujet est observé directement.

Viseur électronique Écran à cristaux liquides observé à travers l'oeilleton du viseur. Il équipe les appareils de type Bridge.

Viseur optique Viseur montrant le sujet à travers un système optique, généralement en verre ou en résine, et non sur un écran à cristaux liquides.

Zone system Technique combinant des mesures de la lumière et un développement adéquat afin de restituer toutes les valeurs tonales du sujet.

Zoom Objectif à focale variable.

Index

Biographie et infos utiles

Les livres

Comment photographier absolument tout,
Tom Ang, *Pearson Education, 2007.*

Le livre Photoshop CS3 pour les photographes numériques,
Scott Kelby, *Pearson Education, 2007.*

La photographie numérique,
Scott Kelby, *Pearson Education, 2008.*

Le nouveau manuel de la photographie,
John Hedgecoe, *Pearson Education, 2004.*

L'Art de la photo numérique,
John Hedgecoe, *Pearson Education, 2007.*

Le guide du Photographe voyageur,
Michael Freeman, *Pearson Education, 2008.*

L'œil du photographe et l'art de la composition,
Michael Freeman, *Pearson Education, 2008.*

Les sites Web

Les sites Web disparaissent parfois aussi rapidement qu'ils étaient apparus. Utilisez un moteur de recherche pour vous tenir au courant des nouveaux venus ou pour vérifier des adresses.

Photoshop (didacticiel, informations, galeries, etc.)

Adobe Studio
http://studio.adobe.com/fr/

Adobe
www.adobe.fr/products/photoshop/

Photographie

Absolut photo
www.absolut-photo.com/

ePHOTOzine
www.ephotozine.com/

Espace photo
www.espacephoto.org/

Galerie photo
www.galerie-photo.com/

Le Village photo
www.levillagephoto.com/

Les Numériques
www.lesnumeriques.com/

LetsGoDigital
www.letsgodigital.org/fr/

Maison Européenne de la Photographie
www.mep-fr.org/

Megapixel
www.megapixel.net/

Musée Français de la Photographie
http://photographie.essonne.fr/

Photobis
www.photobis.com/

Photographes-Suisse
www.photographes-suisse.ch/

Photographie
www.photographie.com/

Photographie et informatique
pro.wanadoo.fr/archeo/photographie.htm

Photo.net
www.photo.net/

PhotoNotes
photonotes.org/

Photophiles
www.photophiles.com/

Photosapiens
www.photosapiens.com/

Photovore
www.photovore.fr/

Photozim
www.photozim.com/

Reflex news
www.reflexnews.fr/

Reflex numérique
www.reflex-numerique.fr/

Regard Public
www.regardpublic.com/

ReVue
www.revue.com/

TechnicPhoto
www.technicphoto.com/

VirusPhoto
www.virusphoto.com/

Zone numérique
www.zone-numerique.com/